AU NOM DU FILS

*Né en 1911 à Angers Hervé Bazin (petit-neveu de René
Bazin) est élevé jusqu'à l'âge de 13 ans par sa grand-mère
et voit peu ses parents. Après des études mouvementées (précepteurs, six collèges), il s'inscrit à la Faculté catholique de
droit d'Angers, se brouille avec les siens, va à Paris où il
prépare une licence de lettres en travaillant, et commence à
écrire.*

La notoriété lui vient avec les poèmes de Jour *(Prix Apolli-
naire 1947) et le roman* Vipère au poing *qui connaît un
succès immédiat et considérable (Prix des Lecteurs 1948).
Proclamé en 1955 « le meilleur romancier des dix dernières
années », lauréat en 1957 du Grand Prix littéraire de Monaco,
Hervé Bazin est membre de l'Académie Goncourt depuis 1958.*

Une fois de plus, au premier mot de réprimande,
Bruno s'est enfui dans les rues de Chelles et son père
donne aux voisins le spectacle du respectable professeur Daniel Astin s'époumonnant à rattraper son
fils rebelle. A l'agacement succède la pitié pour ce
gamin qu'il sait si mal prendre, de l'aveu de tous et
du sien propre. Mais il faut sauver la face, s'exclamer
bourru : « Veux-tu faire croire à tout le monde que
je n'aime pas mes enfants? » Et Bruno de répondre :
« Tu m'aimes, bien sûr, mais tu m'aimes moins. »
Touché! pense Daniel qui a la quasi certitude que
Bruno, son dernier-né, n'est pas de lui. Il s'est efforcé
pourtant d'être bon père. L'enfant a-t-il deviné, senti
l'effort? Piqué au vif, il tente la reconquête de ce fils
farouche.
Daniel Astin gagne la bataille, mais à quel prix et
pour quel triomphe dérisoire? Victoire à la Pyrrhus,
dont Hervé Bazin retrace les étapes avec le talent
âpre et mordant, toujours lucide, qui le caractérise.

HERVÉ BAZIN

DE L'ACADÉMIE GONCOURT

Au nom du fils

ROMAN

ÉDITIONS DU SEUIL

Pour Philippe Hériat.

I

Le petit fuit devant moi, pieds nus, torse nu.
Quand, surpris par l'algarade au beau milieu de
sa séance de culture physique, il a brusquement
dévalé l'escalier pour se jeter dans la cour, puis
dans la rue, sommairement habillé de sa culotte
de sport — bleue à raie rouge — du lycée Charlemagne, il a d'abord affecté, une, deux, une,
deux, de piquer un cent mètres, le buste droit,
comme à l'entraînement. Mais, serré de près, il
commence à manquer de souffle. Il ne court
plus; il avance en zigzag, par à-coups, tanguant
sur des jambes molles et se retournant sans cesse,
au risque de buter, pour voir où j'en suis et me
jeter un regard affolé, un regard blanc, embrous-
saillé de cheveux.

A l'angle de la rue, il tourne court, fait encore
quelques bonds et, scié en deux par un point de
côté, doit s'appuyer à la murette d'une villa. Par

malheur c'est la villa des Douque. Hors d'haleine moi-même et tenant à jouer les pères
dignes, qui ne foncent pas comme des brutes sur
leur progéniture en révolte, j'ai ralenti le pas; je
me félicite même de pouvoir le cueillir, un peu
plus tôt que d'ordinaire, avant d'avoir vu bouger une demi-douzaine de rideaux. Mais l'idée
que la mère Douque, armée de son éternel sécateur, est capable de pointer le nez par-dessus ses
fusains et de murmurer de sa voix cotonneuse :
« Allons, Bruno, allons! Il faut obéir à son
papa », m'ôte toute réflexion. Au lieu d'approcher en silence, sans effaroucher l'enfant davantage, pour le prendre par le bras et le ramener à
la maison (tarif : deux cents lignes. On n'est pas
pion pour rien, et, si j'ai souvent trop de voix, je
n'ai jamais eu assez de main pour gifler), j'ai le
tort de crier :

« Tu vas cesser cette comédie, non! Tu rentres? Cette fois, j'en ai assez... »

Résultat : deux fenêtres qui s'ouvrent, tandis
que Bruno repart, péniblement. A cet endroit du
trottoir l'asphalte cesse pour faire place au gravillon. Sur ses pieds nus le petit sautille comme
les baigneurs écorchés par le silex des plages et,
ce nouveau démarrage rallumant mon humeur,
je m'entends grogner :

« Tant mieux! C'est le cas de le dire : ça te
fera les pieds. »

Il y a de quoi être excédé. Mme Douque reste,
Dieu merci, invisible. Mais de son perron, tout
ganté, chapeauté, prêt à descendre sur Paris par
le bus de 8 heures 17, me lorgne sévèrement
M. Lebleye, le gros barbu du 14, chef comptable
affligé d'une gélatineuse tendresse pour son
insupportable gamine et qui a déjà dit de nous,
je le sais : « Le moutard est idiot, mais M. Astin
l'abrutit. » Encore trois minutes et ce sera moi
le coupable qui, pour un zéro de composition
française, fait un scandale dans le quartier. A
la maison même on ne sera pas loin de le croire.
Cillant plus vite des paupières, Laure m'entou-
rera d'une ombre, d'un silence plus serrés.
Louise, boudeuse, montera dans sa chambre et
à la première occasion Mamette me soufflera
dans le nez, avec une grande allégresse du chicot : « Décidément, Daniel, vous n'avez pas la
manière avec ce gosse. Vous n'êtes pas son professeur, vous êtes son père. » Est-ce ma faute si cet
enfant réagit comme un lièvre et, dès la moindre
scène, répond aux reproches avec ses genoux? Il
me joue bien ce tour pour la vingtième fois et
son zéro de composition française devient sans
importance auprès de ses fuites, de plus en plus

fréquentes, sans motif sérieux, et dont je n'arrive pas à savoir si, comme le soutient ma belle-sœur, elles signalent « une maladie de nerfs », ou, comme j'incline à le croire, un refus délibéré de m'entendre, une lâcheté, doublée d'une astuce, d'une espèce de chantage à l'intercession des voisins et des proches.

« Bruno! tu t'arrêtes? »

Nous trottinons toujours, l'un derrière l'autre. Nous avons tourné deux fois, enfilé une autre ruelle, débouché sur le quai Prévôt, pour reprendre enfin une petite allée. De ce côté-là nous sommes moins connus. Mais Bruno n'est jamais allé si loin et c'est moi maintenant qui commence à avoir peur. L'heure tourne. Michel et Louise ont dû déjà partir, sans nous attendre. Nous arriverons certainement en retard, Bruno à Charlemagne, moi à Villemonble. A la colère succède l'inquiétude; à l'inquiétude le sentiment de mon insuffisance, de la stupidité de la situation. D'un coup de reins je pourrais sans doute le rejoindre. Mais est-ce de cette façon qu'il s'agit de le rattraper? Je ne fais plus que le suivre, pour le voir enfin se retourner, capituler, reconnaître ses torts. Il vaudrait peut-être mieux abandonner, le laisser revenir seul, comme je laisse revenir Japie, notre chienne, mamoureuse

et se traînant sur le ventre pour se faire pardon-
ner ses escapades de printemps. Mais peut-on, en
plein hiver, laisser un gosse en short trotter dans
les rues de Chelles? Puis-je, surtout, filer à mon
cours avant d'avoir liquidé l'incident, obtenu de
mon fils la soumission que, sous peine d'impuissance définitive, la pratique de l'autorité nous
oblige à obtenir immédiatement d'un élève? On
ne reprend pas le soir un lièvre qu'on a couru le
matin.

« Bruno! »

Je ne sais plus que jeter son nom d'une voix
rauque. Je regagne sur lui, presque sans le vouloir, déjà tout embarrassé de ma justice et suppu-
tant, comme pour une méchante copie, les sanc-
tions à prendre. Il me fait pitié, il se traîne et sa
respiration sifflante torture le maigre accordéon
de ses côtes. Il ne se retourne même plus. Il
continue sur sa lancée, sans réfléchir. Il faudrait
trouver des phrases, lui dire qu'il nous rend ridicules, que je ne veux que son bien et — mieux
— qu'il me fait de la peine. Mais c'est la menace
qui sort :

« Le surveillant général ne va pas te rater. Et
je te garantis que tu n'iras pas chez Mamette
jeudi. »

Autre erreur. Dans un sursaut, dont je ne

l'aurais pas cru capable, Bruno s'envole, prend
dix mètres, puis vingt, puis trente et, croche-
tant vers un échafaudage, provisoirement abandonné, se jette sur le premier montant, solidement ancré sur son cône de plâtre. En un clin
d'œil, tirant des bras, serrant des cuisses, au mépris des échardes, il atteint le premier étage. Le
temps d'arriver et il est sur les planches du
second, effaré, aussi stupéfait que moi de se
retrouver là-haut, coincé entre la corniche et un
bac à mortier. Je hurle :

« Ne te penche pas! »

Puis je me frotte les yeux, machinalement,
par-dessous mes lunettes de myope. Laure doit
avoir raison. Cet enfant est à faire examiner.
Notoirement sujet au vertige, incapable de
suivre ses camarades sur un arbre, Bruno ne peut
absolument plus jouer la comédie. La situation
n'est pas stupide; elle est grave.

« Bruno, ne bouge pas, je vais te chercher »,
murmure cette voix, plus doucereuse que douce
et dont M. Astin se sert parfois, pour amadouer
les récalcitrants, qu'il cède ensuite aux repré-
sailles du surveillant général.

La tête renversée, le nez en l'air, je me
contrains à sourire; je cherche des mots pour
sortir du drame, ramener les choses à la blague,

éviter le scandale majeur, l'appel à l'aide des voisins, le drap des pompiers. Mais mon regard croise celui du petit, aplati sur les madriers. L'épouvante me saisit. Dans ces yeux d'écureuil traqué, qui mesure le vide, qui hésite à sauter, luit quelque chose de plus que la peur. Quelque chose de plus dur, de plus coupant. Un malade, non, je me trompe encore.

« Mon petit, voyons... »

Ses lèvres s'écartent sur de jeunes dents, mais seulement pour laisser grelotter son menton. Et soudain un portillon claque. Le rouge au front, je fais mine de me baisser, de rattacher un lacet; j'attends sans courage que l'inconnu, sonnant du talon sur le sol gelé, se soit suffisamment éloigné, pour ne pas lui donner le spectacle d'un docteur ès lettres en col demi-dur et pantalon rayé, s'esseyant au mât de cocagne. Essai aussi risible qu'inutile, d'ailleurs : comme je retombe, moins honteux de mes muscles que de ma position, un second portillon tinte, sur une note différente et le réflexe qui me pousse sur le chantier me fait découvrir, parmi les gravats, une échelle couchée. Je m'en saisis. Mais en l'apercevant Bruno se redresse d'un coup, se met à piauler :

« Non, Papa, laisse-moi, laisse-moi. »

Et le voici qui saute d'un bord à l'autre, tandis que je soulève l'échelle, trop lourde, qui vacille au-dessus de ma tête avant de tomber du bon côté. Je m'élance sans prendre le temps d'en vérifier l'aplomb. Deux par deux, je franchis dix barreaux. Mais je n'irai pas plus loin que le premier étage.

« Arrête! » a dit Bruno, d'un ton tout différent.

Il s'est baissé, il m'observe de biais, une main sur l'anse du bac à mortier. Mais il ne soutiendra pas mon regard, il recule vers l'extrême bout des madriers. D'une de ses cuisses, égratignée lors de l'ascension, coule, sur une peau grenue soulevée par la chair de poule, un mince filet de sang. Il ne se tient plus que d'une main et, les yeux à demi fermés pour échapper au vertige, cherche à passer une jambe sous le dernier montant.

Qu'il tente la glissade ou qu'il saute, le danger est presque le même. Mieux vaut battre en retraite, lui laisser l'échelle. « Tu sais bien que, si tu t'en vas, il redescendra tout seul », me siffle mon bon ange. Mais cela ne fait pas mon compte. Je ne céderai que d'un échelon, en murmurant :

« Bruno, je t'en prie, tu vas prendre mal, allons-nous-en. »

L'accent, la prière, et ce « Allons-nous-en »,
au pluriel — pour couper la poire en deux —
c'est plus qu'une concession. Bruno s'immobilise,
étonné, encore méfiant. Toujours penché, il
regarde quelque chose, sous moi : mon soulier
droit, en train d'hésiter entre le barreau du dessus et celui du dessous. Le soulier se résigne,
choisit celui du dessous et Bruno s'avance d'un
pas. Un second barreau, un troisième et le voici
qui commence lui-même à descendre, au même
rythme que moi. Une fois à terre, je m'écarte un
peu, vexé, cherchant en vain à me persuader de
mon habileté. Bruno me rejoint sans hâte, il
m'écoute, tandis que je souffle pour sauver la
face :

« Veux-tu donc faire croire à tout le monde
que je te brutalise, que je n'aime pas mes
enfants? »

Alors j'ai devant moi, bien relevé, un petit
visage inconnu, osseux, troué par les yeux : les
yeux de sa mère, d'un gris de granit. Fils de sa
mère et, comme elle, si fragile, si mince qu'il en
paraît encore plus nu, Bruno semble devenu
étrangement sûr de lui. Il répond, du coin de la
lèvre :

« Tu m'aimes, bien sûr. Mais tu m'aimes
moins. »

Et c'est à moi de me sentir glacé. Moins, moins... Que dit-il? Moins que Michel, son brillant aîné. Moins que Louise, ma sucrée, dont on dit : « Après tout, les papas préfèrent toujours leurs filles. » Ce n'est pas vrai. Ce n'est pas cela. C'est un terrible euphémisme d'enfant. *Moins,* tout court. Moins qu'un fils. Qui aime *bien,* c'est connu, n'aime pas vraiment et pourtant c'est encore le signe plus. Qui aime moins, qui aime avec le signe moins... Il a tout dit, tout deviné. Trop jeune, heureusement, pour continuer sur ce trait, pour en comprendre toute la portée, il peut déjà se détendre, retomber dans la discussion scolaire, ergoter :

« Et puis tu exagères! J'ai eu aussi un 14 de maths. »

Je m'en fiche de son 14, comme de son zéro. Il n'est plus l'accusé, mais le témoin. Un peu coupable, comme tous les témoins, fussent-ils de onze ans. Coupable de son zéro. Mais innocent du reste qui le jette par les rues, hagard et poursuivi par M. Astin, cet ogre de bonnes notes. Dépouillant sa veste pour la jeter sur d'étroites épaules, l'ogre marche en bras de chemise, disant encore :

« Rentrons vite. S'il est trop tard, je te conduirai en taxi au lycée. »

Et il détourne les yeux pour ne pas voir sa grande veste aux bras vides battre les flancs de ce petit garçon moins aimé de son père, pour ne pas voir sa grande veste peser sur lui comme son autorité. De sa vie certainement et même à l'heure où sa mère s'est éteinte, même à l'heure où, dans un camp, il a reçu cette carte réglementaire qui lui apprenait la mort de sa femme, disparue loin de lui — en lui laissant ce fils douteux — il n'a jamais connu pareil désarroi, pareille haine de lui-même. Dans le lointain gris, planté de hauts peupliers noirs, les sifflets de la gare de triage déchirent une brume basse. Dans la rue même, peuplée de maisons étroites et de voisins à leur mesure, une Sita dévore les ordures du lundi, plus grasses, plus chargées d'os et de pelures d'orange. Mais devant la menuiserie dont la scie vient de se mettre en marche, le décor semble changer. Le ciel vibre, sur une note, très haute, continue. Le ciel vibre. Qu'est-ce à dire? Depuis mon retour, depuis bientôt cinq ans, j'entends cela tous les matins. Mais n'est-ce pas la première fois que, du bout d'un doigt, j'essaie d'accrocher le bras de cet enfant?

II

L'ÉCHAFAUDAGE a disparu depuis longtemps.
Une famille de B. O. F. habite cette maison qui
n'est pas de très bon goût, mais dont je n'arrive
pas à détester le crépi d'un rose agressif, ni les
deux chèvres de faïence qui font mine de brou-
ter une pelouse raide comme un tapis-brosse.

Car c'est bien ce jour-là que tout a commencé.
J'ai été longtemps, je le crains, un de ces
hommes qui économisent leur chaleur, qui
vivent ensevelis dans leurs paupières, sans rien
connaître d'autrui ni d'eux-mêmes. Ma profes-
sion ne m'avait pas appris la perspicacité; elle
m'avait donné l'habitude des règles, elle m'avait
allongé le sang à l'encre rouge. Ma seule chance
aura été d'en tenir le goût des scrupules. J'entends bien qu'il s'agit de scrupules d'abord
aussi éloignés des problèmes de conscience que
le raisin sec peut l'être du chasselas. Mais à qui

pèse ses mots, pèse ses notes, il peut arriver de
réfléchir, une fois qu'il s'est précisément mal
noté. Qu'il aille plus loin, qu'il se juge et le
voilà incapable de se supporter. Le voilà qui se
tisonne, remue sa vieille cendre et, de son
maigre feu, se fait un bûcher.

A ma tiédeur, suivie de trop de flamme, je ne
cherche pas d'excuses. Mais je peux tenter de
l'expliquer. Il m'a été donné de rencontrer quelques hommes ou quelques femmes dont les sentiments sont équilibrés. Ils sont rares. La plupart des gens n'ont pas le cœur équitable et je
l'ai moins que tout autre. Les obligations, les
attaches d'une nombreuse parenté m'auraient
peut-être permis de corriger en partie ce défaut.
Mais ma jeunesse m'a au contraire donné l'habitude de tirer ma sève d'une seule racine. Fils
unique d'une veuve de guerre, je n'ai connu ni
mes grands-parents, ni mon père, ni mon seul
oncle, émigré au Brésil, ni aucun cousin, sauf
Rodolphe, mon cousin issu de germain, célibataire endurci, séparé de nous par cette série
d'autobus qui rend la banlieue est impraticable
pour la banlieue ouest (en vingt ans, il ne vint
pas déjeuner trois fois à la maison). Perdu au
surplus dans cette masse suburbaine, l'une des
plus denses, l'une des plus anonymes, donc l'une

des moins propices aux relations de porte à porte, je n'avais devant moi, derrière moi, autour de moi que ma mère : une femme qui aurait pu être liante, mais à qui les circonstances n'avaient pas fourni l'occasion de se lier et qui en était devenue pour les étrangers d'une approche difficile.

« Je sens le renfermé, disait-elle elle-même. Il faut sortir un peu, t'aérer, te faire des amis. »

Mais sans vraiment me couver, elle m'avait donné trop de présence pour me permettre, même à dix-huit ans, de me passer d'elle. Vivant de sa seule pension, du reste, nous étions pauvres : de cette pauvreté que rend aiguë, chez les bourgeois ruinés, le souci de faire figure, de sauver la maison et les meubles, ainsi que les études du fils, dont la situation future lui permettra de reprendre rang. Une économie féroce nous interdisait de fréquenter ceux que Maman appelait nos « pairs » et comme le commerce de ceux qu'elle appelait « les autres » se résumait à peu de chose, nous vivions pratiquement un tête-à-tête, qui n'avait d'ailleurs rien de l'asservissement réciproque, ni même du délicieux refuge dans les jupes maternelles, mais qui était plutôt une habitude, un mode de vie ancrée dans le quotidien, une façon de respirer. Ma mère a toujours eu de la prudence dans l'affection, de la fermeté : beaucoup plus que moi. Elle devenait dans la rue une de ces ménagères effacées qui lorgnent les éventaires en serrant leur petit porte-monnaie, incapable de gonfler leur petit cabas. Mais une fois franchie la grille de notre maison de Chelles, elle redevenait Mme Astin. Elle retrouvait l'assurance et ce port de tête, cette aisance de poitrine qui, alliés à la puissance simplette du regard, lui donnaient le type auguste : celui des mères sérieuses, modérément câlines et totalement dévouées, qui font carrière dans la maternité et, fortes de la conception — austère — qu'elles en ont, savent régner la serpillière en main et, avec leurs enfants comme avec leurs propres sentiments, garder de la distance.

C'est assez dire l'admiration que je lui conserve et dans quel état je me retrouvai lorsqu'elle me fut enlevée, à quarante-trois ans, par un cancer du poumon. Mais ma mère qui, un an plus tôt, avait écarté pour des « raisons de santé » une de mes camarades, s'était *in extremis* aperçue du danger. L'accent qu'elle prit soudain, dans les derniers mois, pour me parler de « la petite secrétaire

d'en face », la hâte avec laquelle, rompant avec
ses habitudes, elle se dépêcha d'inviter Gisèle
Hombourg et les siens, de conclure nos fiançailles, le prouvent assez. Sachant ses jours
comptés — et n'en avouant rien — elle s'assurait une remplaçante. Elle y mit même une
insistance, une naïveté qui pouvaient paraître
comiques et, s'il est une chose que je me reproche aujourd'hui, c'est de lui en avoir marqué de
l'agacement. Mal informé de son état, croyant
encore à de l'emphysème, je l'accusais presque
de maladresse. Je ne comprenais pas cette sorte
de démission qui lui faisait livrer, pêle-mêle,
tous nos maigres secrets :

« Daniel prend du thé le matin, rappelez-
vous, Gisèle. Jamais de café au lait. Encore
moins de chocolat. Je voulais vous dire aussi : il
déteste le céleri. Mais j'y pense, il faudra que je
vous montre comment fonctionne le poêle à
mazout. »

Je refusais encore de comprendre quand elle
s'alita. Mais je dus m'y résigner quand les méde-
cins, au sortir de sa chambre, prirent un visage
de bois et quand elle-même, un soir, se souleva
pour dire posément, tournée vers moi :

« Il faudra t'habituer, Daniel, à l'idée que ta
mère peut te manquer. »

Puis tournée vers Gisèle :

« Si je venais à disparaître, ma petite fille, il faudra l'épouser très vite. N'attendez pas la fin du deuil. »

Nous ne l'attendîmes pas, en effet. J'aime croire — et dire — que j'ai ainsi respecté la volonté de ma mère. Je ne suis pas sûr d'avoir obéi à cette seule raison. Toujours est-il que, deux mois après les obsèques, nous étions mariés, Gisèle et moi. Dans la plus stricte intimité, comme l'assurait le faire-part expédié, en ce qui me concerne, à mon unique cousin, Rodolphe, et à mes collègues (licencié ès lettres, en cours de doctorat, j'étais depuis peu professeur à Gagny). Notre seul voyage de noces fut une visite au cimetière où Gisèle déposa sa corbeille. Puis nous regagnâmes la maison : la mienne, où rien n'avait changé, mais où, ma chambre ne comportant qu'un étroit lit de garçon, il fallut nous coucher dans la chambre de ma mère. Je dis : « Il fallut », car ce ne fut pas sans répugnance de ma part, comme s'il s'agissait là d'un sacrilège. Mon ardeur s'en ressentit au point d'étonner la candeur de ma femme et d'éveiller chez elle une inquiétude, encore tendre, mais qui devant d'autres insuffisances — plus réelles — n'allait pas tarder à tourner en désillusion, à donner à sa bouche cet insupportable pli que j'essaie depuis lors, avec tant de soin, d'effacer de la mienne lorsque j'ai affaire à un élève peu doué.

Pourquoi m'avait-elle épousé, du reste? Je me le demande encore. Je n'avais ni fortune ni espérances. Rien qu'un petit traitement — fixe, il est vrai — et une villa, suffisante, mais peu moderne et bâtie trop près de la Marne, sur terrain inondable, donc sans grande valeur. Physiquement j'étais petit, gauche, quelconque. Studieux, certes, et même bardé de peaux d'âne, mais sans aucun brillant. Mon vieux papillon de belle-mère disait de son mari, en me regardant :

« Mieux vaut épouser des hommes sûrs qui n'ont pas trop d'étoffe, mais de très bonnes doublures. »

Gisèle n'était pas faite pour le genre ouatiné. Très brune, très mince, très vive, la repartie toujours prête sous la dent, l'œil infaillible sous l'arc du sourcil, elle tenait de Mme Hombourg qui, ravie, feignait de maugréer :

« Tiens-toi un peu plus en laisse. Les femmes qui ont trop de chien font aboyer. »

On devait me dire plus tard — il y a toujours un scélérat pour le faire — qu'on avait déjà un

peu aboyé sur son compte; que le commandant
et Mme Hombourg n'étaient pas fâchés de la
caser. Explication qui n'explique rien : pour se
« caser » il faut faire une affaire et je n'en étais
pas une. Je crois plutôt qu'il y avait chez Gisèle
ce côté curieusement raisonnable des impru-
dentes qui prennent contre elles-mêmes des
garanties. Mainte fille, au surplus, remarque un
homme précisément parce qu'il n'a rien de
remarquable, parce qu'il lui laissera tout son
éclat et cette autorité dont les femmes sont de
plus en plus friandes. N'était-il pas tentant pour
elle, enfin, de s'assurer l'indépendance en traversant simplement la rue, presque sans quitter
ses parents, pour s'installer dans une maison
dont une belle-mère malade lui remettait les
consignes et les clefs?

Je fais ici bon marché de son cœur et j'en ai
honte. Mais j'imagine mal qu'elle ait pu m'aimer. Pour respecter son souvenir, j'en suis
venu à préférer qu'elle ait en moi, durant un
temps, aimé l'amour, jusqu'à ce qu'il lui soit
donné de le rencontrer vraiment. Ainsi la faute
m'appartient : celle de n'avoir pas su la garder.
Qu'elle n'ait pas tenu elle-même tous ses enga-
gements, il est possible. Mais ce secret lui reste,
que je n'ai jamais voulu percer. Pour moi, l'es-

sentiel, c'est qu'elle n'ait pas retraversé la rue.

Ma fidélité doit paraître complaisante. Des
fiançailles tièdes, une lune de miel voilée ne
l'annonçaient pas. Le soin que je mets à défendre ma femme n'est pas, pourtant, le fait d'un
misérable orgueil, d'une longue hypocrisie. Mon
attitude a dû le laisser entendre et, parfois, je
m'interroge moi-même avec mépris. Mais vraiment, telle qu'elle était, j'ai beaucoup aimé
Gisèle; et comme ma mère je l'oublie difficile-
ment. Encore qu'ils s'en défendent, la plupart
des hommes ont peu choisi, beaucoup subi, quelquefois même longtemps refusé ce qu'ils finissent
par accepter. La seule force, chez moi, est cette
acceptation. Comme le ciment, d'abord sans
consistance, je prends autour de l'être que
m'offre le hasard, si cet être est lui-même d'un
certain caractère, s'il est fait d'une matière qui
permet l'enrochement. Gisèle avait ce grain, qui
manque à Laure. Plus que d'autres à une longue
union réussie, je m'accroche à ces quelques
années de mariage manqué. Le bonheur — qui
leur fit défaut — n'est pas nécessaire au regret.
Ce qu'on aurait pu vivre, on le regrette même
mieux que ce qu'on a vécu.

Et ce que j'aurais dû vivre, je ne l'ignore
plus. Hormis un doctorat — et ce qu'il suppose,

tandis qu'elle somnolait, boudeuse, frileuse,
recroquevillée dans sa jeunesse — qu'ai-je donc
offert à cette fraîche épousée, avide d'attentions,
de sorties, d'impromptus, de tous ces petits
écarts qui dérèglent un horaire d'universitaire,
mais font tourner rond celui d'un jeune ménage? Rien, vraiment. Rien d'autre qu'une
continuité, calquée sur la précédente dont se
satisfaisait ma mère et où Gisèle se retrouva
comme éteinte, décolorée. Rien que du sérieux,
de l'innocence en col blanc. L'empressement
mineur du bon garçon qui part, qui revient, par
l'autobus 213, sans tricher d'une minute. Une
belle pudeur, désodorisant l'intimité, assez
farouche pour refermer devant un nu la porte de
la salle de bain et pour attendre que toutes
lumières soient éteintes avant de donner sa régu-
lière, mais unique preuve de virilité.

Deux jumeaux, aussi : un garçon que j'appelai
Michel comme mon père, une fille que j'appelai
Louise comme ma mère et que Gisèle accueillit
avec un soulagement qui ne dura guère. Le
temps d'en terminer avec le pouponnage — dont
Laure, sa sœur, adolescente grave et passionnément ménagère, prit sa forte part — et elle ne
fut plus que silence et soupirs. Ma belle-mère
finit par s'en mêler. Je la trouvai, un soir de

bruine, sur le trottoir, faisant le guet sous son
parapluie mauve :

« Vous êtes désespérément sage, Daniel, me
souffla-t-elle à brûle-pourpoint. Nul n'a rien à
vous reprocher, c'est sûr. Mais vraiment, est-ce
que vous ne voyez pas que votre femme n'en
peut plus, qu'elle s'ennuie à mourir? »

Elle haussa carrément les épaules avant d'ajouter :

« Votre budget est un peu étroit. Laissez-la
donc travailler. Vous aurez deux salaires pour
faire un peu les fous. Laure ne demande qu'à
s'occuper des petits, avec moi.

— Gisèle ne m'a rien demandé, murmurai-je.

— Elle me l'a demandé à moi. »

Froissé par ce manque de confiance, qui sup-
posait de longs conciliabules, dans mon dos,
désorienté, cherchant en vain ce qu'en une telle
situation aurait fait ma mère, je résistai deux
mois. Puis j'acquiesçai. Gisèle redevint secrétaire, auprès d'un homme politique, alors
régnant sur le canton et durant un an sembla
retrouver sa gaieté, sa vivacité perdues.

Mais dès l'année suivante les choses, de nouveau, se gâtèrent. Gisèle se mit, sous toutes
sortes de prétextes, à rentrer tard. Elle s'absenta
même le dimanche pour suivre en tournée ce

patron dont j'entendais parler avec une admiration gênante. Elle eut d'autres silences, d'autres regards, qui n'étaient plus ceux de l'ennui, mais de l'angoisse, de la pitié. Elle eut aussi de ces retours, de ces gentillesses qui sentent l'effort et la contrition. Et je ne sais vraiment ce qu'il serait arrivé de notre ménage si le dénouement n'était pas venu, brusquement, de la guerre. Mobilisé, je partis pour l'Alsace où je fus aussitôt blessé, puis fait prisonnier dans une escarmouche de la « drôle de guerre » et c'est dans un stalag que j'appris que Gisèle attendait un nouvel enfant.

Elle était loyale. A mon retour elle m'aurait dit la vérité, à supposer que ce fût nécessaire. Mais je ne devais jamais la revoir. Evacuée sur Anetz, dans la Loire-Atlantique, où les Hombourg ont une bicoque de vacances, « L'Emeronce », au bord du fleuve, toute la famille fut prise dans un bombardement. Gisèle fut tuée dans le wagon, ainsi que son père. Ma belle-mère eut les deux jambes fracassées. Laure et les trois enfants s'en tirèrent indemnes. Je dis : les trois enfants, car entre-temps Gisèle avait accouché d'un fils : Bruno.

Quand je revins, en 1945, il avait cinq ans, Michel et Louise huit. A peine aidée par ma belle-mère, toujours braque, mais infirme, qui ne marchait plus qu'avec deux cannes et ne quittait guère son rez-de-chaussée, Laure, déjà plus femme que jeune fille, les élevait, au 27, *côté mair,* comme disent les enfants, pour l'opposer au 14, côté pair.

Je ne fis pas de remarques. On ne m'en fit pas non plus. Mais quand j'annonçai mon intention de reprendre les petits, je crus lire dans les yeux de ma belle-sœur une insupportable estime.

« Vous avez été très éprouvé, dit-elle. Si vous voulez, je continuerai à tenir votre ménage.

— Elle continuera, répéta Mme Hombourg en me regardant de biais. J'espère pour vous qu'elle ne se mariera pas. »

Ainsi débuta la navette. Je ne parle pas de celle, commune à tous les banlieusards, qui les pousse chaque matin sur Paris pour les ramener entre sept et huit au dortoir. Mais de notre seule originalité : ce va-et-vient de Laure, deux fois maîtresse de maison ou, plutôt, deux fois femme de journée, ballottée d'une cuisine à l'autre, sans cesse repartie pour une tisane, sans cesse revenue pour un coup de balai, jusqu'à la dernière traversée qui lui permettait enfin d'aller décemment se coucher chez sa mère.

Et la mécanique se remit à tourner. Un an, trois ans, cinq ans passèrent, presque à mon insu. J'étais redevenu M. Astin, pour trente élèves. Je fus nommé à Villemonble. Les enfants entrèrent à l'école, puis au lycée. Nous eûmes une chienne, un Frigidaire à absorption, un poste de télé. Des comptes bien tenus me permirent même de refaire le toit. La petite vie recommençait, en apparence acceptée par tous. Je n'attendais rien. Je n'espérais rien. Sauf les satisfactions ordinaires : la trêve courte du jeudi, la trêve longue des vacances à la maison d'Anetz, les cajoleries de Louise, la croix de Michel et un peu plus d'efforts de la part de Bruno, dont la paresse m'offensait et dont chacun voulait bien convenir — les paupières baissées — qu'il devenait un enfant difficile.

III

Il n'y a pas d'illuminations. Le plus bel éclair n'est, en nous, qu'une amorce. A peine nous a-t-il avertis, dénoncés que déjà il s'éteint, nous laissant à d'obscures routines. L'examen de conscience, qui suit, s'y débattra longtemps. Une chose est d'admettre, en gros, sa responsabilité; une autre, d'entrer dans le détail.

Et puis on ergote. Du haut de mon perchoir, tandis que mes potaches grattaient de la copie, j'en ai passé des heures à revoir mes balances! Cent fois je me suis accusé. Cent fois je me suis présenté ma défense : « Après tout, quoi, que manque-t-il à ce gosse? Je le traite exactement comme son frère et sa sœur, je l'embrasse matin et soir, je ne le punis qu'à contrecœur. Il n'a jamais été privé de soins. Je ne lésine ni sur la nourriture ni sur les vêtements. Je lui donne même le superflu : il a un train électrique, une trentaine d'autos miniature, une grue, un vélo, tous ces jouets coûteux des enfants d'aujourd'hui, que je n'ai pas eus à son âge. Il peut gagner cinq cents francs pour une place de premier, deux cent cinquante pour une place de second et ce n'est pas ma faute s'il ne me fait pas, comme Michel, souvent mettre la main à ma poche. Pourtant Dieu sait si je m'occupe de ses devoirs! Ce n'est pas assez de pionner ici toute la journée, il faut que je trouve encore un tapir à la maison, que je repionne le soir pour lui faire entrer quelque chose dans la tête. »

Une main se levait. Je grognais : « Quoi, Dubois? Oui, allez-y, mais n'y restez pas un quart d'heure comme d'habitude. » Deux pupitres traîtreusement soulevés abritaient un conciliabule. Je criais : « Laurenti, Martelin, cent lignes! » et je retombais, le menton dans la paume, les yeux tantôt baissés sur une copie, tantôt relevés sur la salle, mais ne regardant ni l'une ni l'autre. « Tu repionnes, dis-tu? voilà un aveu. Ce que tu fais pour ton fils, tu en parles comme d'un effort. D'un effort consciencieux, comme le reste. Tu n'es pas homme à te mettre dans ton tort. Tu n'es même pas sévère, c'est vrai, mais ce n'est pas la question. Il y a des gens qui ont une conception très raide de l'éducation

et qui n'en aiment pas moins leurs enfants. Ils
ont seulement la tendresse dure. Toi, tu fais ton
devoir, mécaniquement : recette connue pour y
manquer. »

Et je me prenais la tête à deux mains, au
risque d'un chahut, laissant dialoguer le professeur et le père. « Allons, allons, disait M. Astin,
tu en remets. Tu as une peur bleue d'être mal
jugé. Tu es prêt à faire plus que le nécessaire,
c'est-à-dire trop, à être un peu moins ferme,
c'est-à-dire un peu moins juste, pour en faire
accroire. » Mais le père — qui ressemblait
encore beaucoup à l'autre, qui ignorait la simplicité — lui répondait sur le même ton : « Le
nécessaire? La justice? N'est-ce pas justement
dans ce qui n'est pas nécessaire, dans ce qui n'a
rien à voir avec le juste et l'injuste, qu'il faut
chercher? »

Car je « cherchais », soucieux d'être un père
bien, un père convenable, un père qui réussit
avec son fils, qui a la paix avec lui-même. La
paix! J'étais encore loin du compte. Et cet
homme-là qui pensait à sa paix, plus tard, je le
détesterais. Mais de l'indifférence à l'inquiétude,
vers l'intérêt, vers l'émotion, vers ces hauteurs
où le souffle se perd, où le cœur commence à
vous cogner, il y a tout un escalier. Quand je

songe à cette période obscure, imprécise — deux
ans, trois ans, je ne saurais dire — j'ai l'impression en effet de me voir monter des marches; et
la mémoire aidant — entendez : m'aidant de sa
complaisance ordinaire — j'en retiens seulement
quelques scènes qui, après coup, semblent marquer un cheminement.

Celle-ci, d'abord la plus lointaine, qui doit en
tout cas se situer peu de temps après l'incident
de l'échafaudage.

Il est dix heures. Je suis dans ma chambre, en
pyjama et toujours gêné de l'être devant Laure,
qui a gratté de l'ongle à ma porte avant de me
dire bonsoir avec cette gentillesse acharnée dont
il faut bien que j'abuse, avec cette voix feutrée,
déférente, presque ancillaire, qui passe mon
mérite et ravale le sien. Elle va s'en aller, elle
murmure :

« Pour demain, j'ai pensé qu'une tarte... »

Sa tarte aux cerises de conserve, moi, je veux
bien. Avec les bougies plantées dedans, sur colle-
rette de papier. Laure manque d'imagination.
Mais la porte bat contre le mur. Bruno, qui
devrait dormir, qui n'est même pas déshabillé,
fait irruption et claironne :

« Les jumeaux ont treize ans, demain, tu sais?
— Tu pourrais frapper. »

Bruno se fige aussitôt, relève le nez du côté de Laure, dont le regard lui coule dessus, protecteur. On dirait qu'elle est la mère; et moi, le beau-père. Impossible de me rattraper. Je sais bien que c'est l'anniversaire des jumeaux. Mes cadeaux sont prêts dans le tiroir. Je bredouille :

« C'est vrai, merci, j'allais oublier. »

Mais j'ai seulement oublié de me méfier de moi.

Bruno, lui, se méfiera longtemps. Près de Michel qui potasse ferme, le voici qui griffonne des chiffres sur son cahier de brouillon. Sa tante passe et il le ferme à demi. Je passe et il le ferme tout à fait. Mais sa sœur passe, il le rouvre et demande à mi-voix :

« Les bissextiles, c'est tous les combien?
— Tous les cinq ans, dit Louise, bravement.
— Tous les quatre ans, idiote! » rectifie Michel, émergeant de son algèbre.

Vexé de n'avoir pas été consulté le premier, il fronce les sourcils. Bruno explique :

« Je comptais les jours jusqu'à mes vingt et un ans. »

Un peu plus tard, au cours du même hiver, nous voilà dans ce que ma mère appelait le salon, Gisèle le living, tandis que les enfants l'appellent maintenant le vivoir. C'est toujours la même pièce qu'a connue mon enfance, avec sa fausse cheminée, ses meubles tarabiscotés, son papier peint où voltigent des feuilles mortes et dont Maman disait elle-même qu'elles entretenaient autour de nous un éternel automne. Enfoncé dans ce vieux fauteuil dont un ressort est brisé, je lis, je tourne des pages, je tue mon jeudi. J'observe les miens, aussi, ou du moins je le crois; je note des choses, vaguement, dans ma tête. Des gouttes de pluie descendent lentement la pente des quatre fils électriques tendus comme une portée devant la fenêtre. Du poste de radio dégouline aussi quelque musique. La chienne dort, roulée en boule sur le tapis. Par un bâillement de porte Laure s'est glissée dehors en chuchotant : « Je reviens. » Louise, qui se frottait à elle, est venue se frotter à moi. Assise par terre, contre mes jambes, elle essaie des sourires, lisse ses ongles, secoue ses cheveux, examine dans une glace de poche la longueur de ses cils, mordille cette médaille qui par instants lui glisse

des dents et se coince dans le sillon naissant de
sa poitrine. A un bout de la table Michel, penchant sur sa boîte de Meccano un profil d'archange froid, assemble une grue, avec des gestes
précis et le sérieux qu'il apporte en tout. A
l'autre bout, Bruno qu'il daigne rarement inviter, parce que « ce brouillon-là lui perd ses
vis »... Bruno, tout raide dans son sarrau gris,
qui sent l'empois, dessine.

Et ce qu'il dessine, à moins d'un mètre de moi,
je peux le voir sans me pencher. C'est une maison dont les fenêtres n'ont pas de rideaux, dans
un paysage solidement clos, à barricades pointues, surmonté d'un soleil qui n'a pas droit à la
traditionnelle marguerite de rayons. Bruno dessine, Bruno ne bouge pas, Bruno nous fiche la
paix, c'est parfait. Mais si le père est content, le
pédagogue, qui parfois le secourt et parfois lui
fait tort, le pédagogue qui a trop lu, trop vu,
trop commenté ces choses, qui connaît les
valeurs, les interprétations, commence à ciller.
Un paysage hérissé de défenses, pas de rideaux
aux fenêtres, un soleil privé de rayons, mauvais,
ça, mauvais. Encore heureux que cet enfant n'y
ajoute pas quelque bonhomme couché!

Or justement Bruno, qui sifflote entre ses
dents, attaque une silhouette. Un point pour le

nez, deux points pour les yeux, un trait pour la
bouche, une boucle autour du tout et nous avons
une tête. M. Astin ne sait plus si c'est dans
l'ordre. Il pense seulement qu'il y a des chances
pour qu'une tête vue de face ne soit pas celle
d'un homme couché. Mais aura-t-il des mains,
cet homme? Très important, les mains, très ins-
tructif, même si on s'en débarrasse inconsciem-
ment en les mettant dans le dos. J'écarte Louise,
je me retrouve debout, murmurant :

« C'est chez nous, ça? »

Le crayon s'immobilise, bien sûr. Bruno se
tord le cou pour m'observer, pour deviner.
Depuis des semaines il vit sur une sorte de qui-
vive, dans l'incertitude et la prudence des sans-
grade avec qui le capitaine essaie naïvement de
fraterniser. Il cherche à trouver la bonne
réponse, à rouler le galon. Pris de court, cette
fois, il suce son crayon, le ressort de sa bouche,
tout gluant de salive et dit enfin, esquissant
d'un trait un dos en forme de pain de sucre :

« Tu vois bien que c'est la maison du bossu. »

Rasseyons-nous, bien droit, et respirons, toute
science en déroute. Mais, au fait, qui est le
bossu?

Les qui, les pourquoi, les comment, toutes ces
puces à l'oreille n'ont pas fini de me piquer. Je
me gratte. Je ne me déchire pas. Ce ne sont toujours que des scrupules, qui en réveillent d'autres, qui s'étendent à Laure, à Louise, à Michel,
à mes élèves. Je me gratte et je me flatte un peu
de cette démangeaison.

L'année en cours, de toutes celles passées à
Villemonble, sera la plus malhabile, la plus médiocre. Bachelard, le proviseur, ne se privera pas
de le dire derrière mon dos et Marie Germin —
cette camarade de Sorbonne que ma mère avait
« écartée » et que j'avais retrouvée parmi mes
nouveaux collègues — s'en fera l'écho :

« Fais attention, Daniel, tu flottes, ça se voit,
ça se répète. Il y a des parents, armés de relevés
de notes, de copies sournoisement comparées qui
sont venus se plaindre. Je sais ce qui te tracasse
et je ne vais pas te dire, comme Bachelard, qu'il
vaut mieux être tout l'un ou tout l'autre, vivre
sur une réputation de vachard à qui nul n'ose
manquer ou de faiblard que ménage sa classe. Il
nous reste tout de même de la marge. Mais c'est
vrai qu'une justice de série nous interdit d'être
tout à fait équitables, de mesurer nos exigences,
à la tête du client. Seuls les précepteurs — ou les
pères — peuvent s'offrir ce luxe privé. »

De ce luxe pourtant, malgré de honteuses prudences, malgré l'incohérence de l'humeur et du
choix, je demeurerai le mauvais défenseur. Car je
me diviserai, comme d'habitude; j'approuverai
les critiques : « Un manquement est un manquement, qui entraîne telle sanction. Un devoir
est un devoir qui vaut tant de points selon le
barème. Je suis un professeur qui fait du sentiment. » Mais allez donc lutter contre cette évidence que trente-deux élèves ont bien trente-
deux visages, et, selon leurs moyens, leurs efforts,
la condition qui chez eux leur est faite, trente-
deux mérites dont chacun exige ses poids et ses
mesures. Cet orphelin, malmené par son tuteur
et qui me chahute, qui passe sa hargne sur moi,
n'est-il pas moins coupable que ce fils à papa,
bouffi de chocolat et de méchanceté gratuite? Et
ce boursier qui travaille dans le tohu-bohu d'une
loge entre une mère qui bavarde et un père qui
sirote, n'a-t-il pas droit à une meilleure note que
son rival, fils de notaire élevé dans un véritable
bouillon de culture?

Et je resterai de glace le jour où Marie, revenant à la charge, me dira doucement :

« Il faut nous faire une raison. La bonne
volonté, pour nous, s'exprime par de bons résultats. Nous n'avons pas à juger, mais à jauger. »

C'était me dire : tu fais des embarras. Je m'en faisais bien d'autres. On y verra peut-être une contradiction, mais, toujours mécanique — et l'engrenage tournant seulement à l'envers — je cherchais à bannir le professeur de la maison, alors même que je laissais le père envahir son rôle au collège. Pour être chez moi plus librement ce père ou, si l'on veut, pour permettre à Bruno d'être plus librement fils, je ne regardais plus ses cahiers que d'un œil distrait. Je tenais à peine compte de ses notes, de ses places, si piteuses que, lanterne rouge, il avait dû redoubler sa sixième.

J'avais même pensé un moment à le mettre pensionnaire : dans l'espoir de lui faire regretter le vivoir, de lui rendre par contraste ses sorties lumineuses. Laure y avait souscrit, la grand-mère aussi, avec des moues qui valaient la mienne. Mais les choses allaient leur train. Je ne m'étais même pas renseigné sur le prix de la pension, sur les places disponibles. On en reparla deux ou trois fois. Puis malgré une médiocre cinquième on n'en parla plus, sauf quand Bruno refaisait une bêtise. Ce ne fut plus qu'une vague menace : « Tu mériterais que je te fiche pensionnaire... » Elle disparut bientôt de ma bouche

pour devenir progressivement dans celle de
Laure : « Ton père finira par te mettre en pension. » Et enfin : « Ton père devrait bien... »

Devrait bien. Conditionnel résigné à ma
défection. Réfugié dans une autorité nominale,
je craignais avant tout d'en sortir. Je me déchar-
geais sur ma belle-sœur de cette corvée : sévir.
Je me bornais à entériner ses décisions, en
hochant la tête, d'un air absorbé, indifférent à
ces vétilles. Combien de fois, entendant fuser
une réprimande, me suis-je esbigné dans le jardin pour ne pas m'y associer! Michel et Louise,
eux, ne me faisaient pas peur et je réservais à
leurs péchés véniels de rares éclats dont je pensais qu'ils ne seraient pas suspects. J'ai beaucoup
fait pour inspirer à Louise des réflexions dans le
genre : « Bruno a de la chance, lui, d'être le petit
dernier », et pour développer chez Michel cette
condescendance de brillant aîné dont il accablait
son frère, en croyant deviner chez moi autant
d'exigence pour l'aigle que d'indulgence pour
l'âne. Quand j'étais vraiment obligé — obligé
par Laure — d'intervenir, de chapitrer Bruno,
je perdais la voix et le geste, je me campais
devant la porte pour lui débiter un faible boniment, de loin, très vite, en louchant sur ses
genoux. Et je me couvrais, honteux, je m'excu-

sais presque, j'invoquais les vraies puissances :
« Ta tante m'a dit que... Ta tante veut
que... »

Je fis même bien pis. Plusieurs fois, averti par
des tiers d'une incartade de mon fils, je fis semblant de n'en rien savoir. A la sortie de Charlemagne, Bruno d'un coup de poing brisa les
lunettes d'un camarade. La mère m'écrivit. Je
lui envoyai aussitôt un mandat, mais je n'en
soufflai mot. Six mois plus tard une bande de
traîneurs, après avoir tiré les sonnettes du quai
Prévôt, détachèrent trois barques dont une alla
se fracasser sur une pile du pont de Gournay.
On ne put les identifier et je m'abstins soigneusement d'y aider, bien que par hasard, revenant
de donner dans le coin une leçon particulière,
j'eusse ce soir-là aperçu Bruno qui galopait le
long de la Marne.

Il ne m'avait pas vu, lui. Mais il allait en une
autre occasion me prendre sur le fait. De fonda-
tion, le dimanche, nous avons toujours déjeuné
en face, chez Laure ou, plutôt, chez Mamette.
Et le protocole durant des années est resté le
même. Coup de peigne général dès le retour de
Laure, apparue à sept heures pour le petit déjeuner, repartie à huit heures chercher son parois-
sien et sa mantille, revenue à neuf de la messe

de Sainte-Bathilde. Traversée de la rue, à dix,
en corps constitué, Japie sur les talons. Entrée
chez Mamette, régulièrement assise dans son fauteuil roulant, son chat au creux de la robe, et
tout de suite affolée par les abois : « Attention,
laissez la chienne dehors. Ces bêtes vont se
battre. » Embrassades par rang d'âge. Commentaires de la semaine. Remarques, vivement enfi-
lées sur la pointe de la langue.

Ce dimanche 7 avril (j'ai retenu la date),
Mamette babille, pousse d'une main sèche la
roue caoutchoutée, évolue, au millimètre près,
dans sa chambre d'infirme, vrai caravansérail.
Elle avance dans des couloirs de meubles bas, de
guéridons surchargés de livres et de fioles. Elle
atteint le coin gauche, lorgne le plafond à solives
d'où pendent des ficelles multicolores et comme
on amène le drapeau, tire sur la rouge, qui laisse
descendre le paquet de bonbons. Un pour Michel, un pour Louise, un pour Bruno, qui n'aiment pas la menthe, mais dont l'ironique admiration ne raterait pas ce rite pour un empire.
Un pour elle qui, bien ménagé, fera durant une
heure le va-et-vient entre ses joues. Puis elle
annonce :

« Bon! Vous aurez du gigot, comme Laure
sait le faire. »

Petits laïus, petit los, au sujet de Laure. Je n'y coupe jamais. Je sais, je sais. Laure, notre perle, Laure, notre merle blanc. La perle a déjà réintégré son tablier : on entend le bruit sec de la porte du four qui se referme sur le gigot. Louise, tortillant du derrière, la rejoindra sans doute pour se prouver qu'elle devient une petite jeune fille; mais on la retrouvera vers midi, le nez sur un illustré. Michel, olympien, repoussant son cadet « qui n'y comprend rien » — et qui, il est vrai, a déjà causé de scandaleux dégâts en renversant de l'acide sur le parquet — ira dans le « labo », une sorte d'appentis où feu le commandant, passionné bricoleur, a laissé un transfo, des sonnettes, des piles au bichromate, des bobines de Ruhmkorff et un fouillis d'accessoires électriques, de fils multicolores, qui se connectent, se déconnectent, pour donner je ne sais quelle crépitante invention. Bruno, qui monte volontiers au grenier quand il pleut, va certainement par ce soleil choisir le jardin. Par politesse je tiendrai quelques instants compagnie à Mamette qui tourne le bouton de son poste pour écouter la messe des ondes, affreusement brouillée par les cra-cra de Michel, et qui ne tarde pas à pieusement s'assoupir.

Elle ferme les yeux et je me soulève. A vrai

dire je ne sais jamais que faire chez Mamette.
J'ai horreur de tous les travaux ménagers; je m'y
sens, quand je m'y essaie, ridicule; et Laure, qui
en fait son affaire, n'ignore pas que son ombre
effarouche la mienne. Faisons le tour pour ne pas
passer par la cuisine. Moi aussi, je choisis le jardin.

C'est le même que le nôtre, à peu de chose
près. Il n'y manque rien, ni prise d'eau, ni
cabane à outils, ni fosse à fumier, ni bordures.
Mais depuis la mort du commandant qui, *ense
et aratro,* avait aussi la bêche militaire et tous
les jours, de huit à dix, alignait des bataillons
de carottes ou de petits pois, les plates-bandes
sont devenues de fausses pelouses où survivent
péniblement quelques touffes de pivoines, quelques rosiers noueux. D'un faible sécateur Laure
coupe quelques branches dans ce fouillis; mais
c'est uniquement pour lui permettre d'accéder,
sans accrocher ses bas, aux anciennes couches où
le commandant abritait ses petits semis et où
Laure défend ce que les banlieusardes sans jardi-
nier considèrent comme l'essentiel de l'horticul-
ture : du persil, de la ciboulette, vingt laitues
et quelques moignons de géranium.

Bruno aime ce coin, à cause des châssis accotés
au mur et dans l'angle desquels les araignées tis-

sent leurs plus belles toiles. Comme d'habitude,
il est bien là. Il sifflote un tss-tss continu, sans
notes, un pur crachouillis d'oxygène. Il ne fait
aucunement attention à moi, qui avance derrière
les troènes. Il a raflé une mouche, d'un revers de
main, sur une marguerite. Il la lance au milieu
d'une toile, où elle s'empêtre. Il se penche pour
voir l'araignée bondir et, en trois coups de patte,
emmailloter sa victime. Mais il se penche trop,
il glisse, il se retient instinctivement au châssis,
qui bascule et s'écroule dans un fracas de verre
brisé. Je n'aurai pas le temps de rejoindre
Bruno qui, déjà, se relève et, filant par l'autre
allée, se jette dans la maison. Dans mon dos la
fenêtre de la cuisine s'est ouverte. Une serviette
nouée autour de la tête, Laure apparaît, qui
crie :

« Qu'est-ce qui se passe? »

Le vent ferait un bon coupable. Mais il n'y a
pas de vent. Bruno pourrait avouer, mais j'aurai
répondu avant lui :

« Merde, je ne sais pas comment j'ai fait mon
compte, j'ai renversé le châssis.

— Si Papa était encore là, dit Laure, d'une
voix lisse comme son tablier de plastique, il en
ferait une histoire! Mais j'aime mieux ça. Je
croyais que c'était Bruno. »

La fenêtre se referme. Reste à payer la casse. Celle du châssis n'est pas inquiétante; celle de mon prestige pourrait être plus grave. Je n'ai pas réfléchi une seconde. J'ai sauté sur l'occasion. L'occasion de quoi? Je serais bien en peine de le dire. De prouver à Bruno que je suis son ami? De lui éviter une scène, en m'en évitant une à moi-même? Les deux, sans doute, et j'aurai de la chance s'il n'y renifle pas, d'abord, l'odeur de ma lâcheté. Je marche à grands pas, je marche, je tourne, broyant sous mes talons les touffes de pâquerettes incrustées dans le gravillon. Mon amitié, pourtant, il faut qu'il y croie... Et c'est mal dire, car je ne lui joue pas de pièce; il ne faut pas qu'il y croie, il faut qu'il la sache. Je joue peut-être un jeu dangereux, pour moi comme pour lui. Mais je le reprendrai en main, quand il sera gagné.

Rentrons. Bruno est dans la cuisine, près de sa tante qui touille une mayonnaise. Il ne me regarde pas. Il n'en finit pas de ne pas me regarder. J'aimerais qu'il s'accuse, qu'il proclame : « Ce n'est pas Papa, c'est moi qui ai renversé le châssis. » Mais pourquoi le ferait-il, pourquoi m'exposerait-il au ridicule? Il réfléchit, lui. Il cherche mes raisons, en accordant toute son attention à la montée de la mayonnaise.

« Ça y est, dit-il, elle prend. »

Dans le coup d'œil qu'il m'accorde enfin, la gratitude, l'émotion semblent absentes. Je n'y lirai que cette prudence, bien connue des professeurs, si prompte à grillager de cils le regard des élèves qui ne savent plus à quoi s'en tenir sur votre compte et cette stupéfaction, cette incrédulité dont ils ne font pas mystère quand on leur apprend que Napoléon faisait des fautes d'orthographe.

Retrouvons Bruno chez Mamette. Ma belle-mère a un faible pour son petit-fils : un faible qu'elle dissimule de son mieux sous un perpétuel agacement. Aussi empoté que moi, Bruno ne sait rien faire de ses dix doigts; il a rarement l'idée d'aider sa grand-mère quand elle roule, se poussant d'une main, farfouillant de l'autre dans son capharnaüm.

« Ma lime à ongles, lance Mamette. Ma lime, là, à côté de toi. Non, pas sur ce guéridon, sur l'autre. Mon Dieu, tu as des yeux de verre et un cul de plomb. A quoi seras-tu jamais bon? »

Et Bruno, vexé, bougonne. Cinq minutes plus tard, voyant sa grand-mère s'éloigner vers la cuisine, il ronchonne, pour lui seul :

« Et elle, à quoi a-t-elle été bonne?

— A te faire, puisqu'elle a fait ta mère, murmure le gendre, également censé responsable.

— Je n'ai pas demandé, rétorque Bruno,
intraitable, mais visiblement flatté d'une attention qui m'a permis de ne pas perdre le fil secret
de son humeur.

— Excuse-nous. Nous pensions te faire un
cadeau. »

Bruno, cramoisi, se noue. Je file. Mais nous le
retrouverons, fébrile, en train de mettre la pièce
sens dessus dessous pour découvrir la lime à
ongles.

Autre saynète : Bruno chez Japie. Sous prétexte qu'elle avait des puces, Bruno a longtemps
boudé Japie : peut-être parce qu'elle nous a été
offerte, toute petite, par Marie Germin, dont les
rares visites sont boycottées par mes enfants,
serrés autour de leur tante, elle-même plus
silencieuse que jamais. Depuis lors, c'est Japie
qui boude Bruno, intéressé par son chiot. Je
passe devant la niche et je la trouve, campée des
quatre pattes sur sa progéniture et aboyant sans
conviction au nez de mon fils, qui discute,
accroupi devant elle.

« Eh bien quoi, donne-le, on est copains maintenant. »

Japie risque un coup de langue, ressort un croc, gronde encore un peu et, louchant sur le ravisseur, se couche pour se mordiller une cuisse.

« Je l'ai! » dit Bruno, raflant le chiot, dont il se met à gratter doucement la tête.

Moi aussi, j'ai deux doigts dans les cheveux de Bruno, qui ne s'efface pas. On est copains, maintenant : avec circonspection. Il commence à oublier mes puces.

Autre saynète : sans Bruno. Louise est avec moi, dans le vivoir. Preste et finaude, toute en mines, pateline au besoin, ma fille, c'est la douce, le tendron des familles; c'est la chatte, frémissante, mais immobile, qui restera sage en vous ronronnant dessus, jusqu'au printemps. L'adolescence agace son chandail, lui donne pêle-mêle le goût des parfums, des chansons, des bas quinze deniers, des slips minuscules, des pantalons corsaire. Mais je suis encore l'alibi de ses transports, comme elle l'est des miens. On me léchotte, on me suçotte, on me fait des mignardises et malgré ce qu'en pense un père profond, ça reste, ma foi,

agréable, flatteur et reposant pour le père quotidien de se donner si facilement le change, d'at-
tendrir la galerie, d'accueillir sur un genou la
demi-demoiselle qui a tant de peau sous si peu
de jupe et si peu de problèmes sous tant de cheveux. Louise est mon sirop, comme Michel est
mon vin d'honneur et Bruno mon vinaigre.

Du moins était-ce vrai. Avec Laure, à qui rien
n'échappe, mais sans Michel, à qui suffit sa
gloire, Louise depuis quelques jours s'étonne :
sans s'inquiéter, car ce n'est pas son genre. Elle
sautille, revient, se coince contre ma rotule, me
palpe du bout des doigts.

« Tu n'es pas dans ta veste, Papa. Où es-tu? »
Ici, ailleurs, nulle part. Quelque chose me
pèse. Cinquante kilos de fille, c'est lourd pour
un genou quand l'autre se sent frustré du même
poids. Pour venir rétablir la balance Michel est
un monsieur trop grave, trop digne, trop ennemi
déjà de son enfance. Mais Bruno, qui est encore
un petit garçon, Bruno qui d'ordinaire entre et
sort, tout droit, qui tourne autour de nous, toujours tout droit, et reste le plus souvent debout,
sans même s'accoter au fauteuil, Bruno qui
sifflote, tss, tss, — « Ne siffle pas, Bruno, répète
souvent sa tante. Tu n'es pas dans une écurie »
— Bruno qui, alors, se met à respirer à petits

coups secs, sans jamais soupirer, Bruno qui n'a
pas écrit, Bruno me manque.

Car, pour tout dire, il est parti depuis une
semaine chez le cousin Rodolphe, son parrain.
Louise s'en soucie peu. Michel encore moins.
Laure surgit et, pour mettre le couvert, enveloppe la table de gestes précis qui ne heurtent
aucune assiette, qui semblent se dissoudre dans
l'air. Elle a les traits tirés et cette mine découragée qui, par moments, la rend pénible. Mais
soudain d'un nerveux tour de clef elle ouvre
le placard.

« Ce petit en moins, ça fait tout de même un
trou! » souffle-t-elle comme si elle parlait aux
verres qui luisent, nets, froids, rangés à bouche-
ton, entre deux carafes au long cou.

Ce n'était que pour huit jours. Le revoilà,
chaque jour plus long, plus grêle et promenant
plus haut cette grosse tête où il semble se réfugier, où il rêve, où il habite tout entier et qui
lui donne l'air d'être absent de sa culotte. Il ne
travaille pas beaucoup moins mal; il ne parle pas
beaucoup plus. Mais son vocabulaire a légèrement changé.

Laure, au début, il l'appelait *Tatie,* comme

tous les neveux en bas âge. Puis durant des
années il l'a appelée *Tante,* sans possessif. Tante,
tout court, mais avec un T formidable, qui donnait à ce mot une importance insolite : quelque
chose comme s'il était le féminin de *tant.* Puis,
je ne sais comment, parce que les titres fami-
liaux se démodent, parce que Michel et Louise
pour se vieillir se sont mis à le faire, parce que
ma belle-sœur ainsi rajeunie ne s'y est pas oppo-
sée, parce qu'enfin je n'ai pas détesté la chose,
Bruno à son tour s'est décidé à l'appeler Laure.

C'est à peu près vers la même époque du reste
que le « pronom personnel masculin singulier
de la troisième personne » a cessé de me torturer
le tympan quand j'écoutais aux portes. *Tu crois
qu'il est rentré?... Il arrive... Il a encore oublié
son parapluie.* Il, c'était moi. Il, ça se rapportait
au solennel « ton père » de « ton père a dit
que », à ce Papa prononcé sans familiarité
comme le bas latin prononce le *pius, papa* des
pontifes. Laure, qui a du respect pour moi, lui
faisait la guerre à ce il. J'ai l'ouïe fine, je l'ai
maintes fois entendue relever l'impolitesse. Mais
je ne jurerais pas qu'elle soit vraiment responsable de sa disparition, comme du retour très
lent, presque insensible, de Papa à son rôle de
diminutif.

Ingrat pourtant, je ne vais point la payer de ses égards. En descendant un matin je ne la verrai point penchée sur l'évier ou sur la cafetière. Louise tourne en rond, indécise. Michel prépare ses livres. Bruno devance ma question :

« C'est bien la première fois qu'elle oublie l'heure, dit-il. Elle est encore *au mair.* »

Un temps. Michel grogne :

« Elle... Elle... Tu veux dire : Laure. »

Il a raison. Mais c'est moi qui aurais dû protester.

Michel, d'ailleurs, je trouve qu'il a trop souvent raison contre son frère. C'est entendu, Michel est notre gloire. Notre consolation. Celui dont on dit à Charlemagne : « Astin l'as » par opposition à l'autre, Astin le cancre. Il a tout pour lui : une mémoire de robot, du jugement, de l'ordre, de la volonté, une absolue confiance en soi, l'appétit du travail. Et par-dessus le marché, comme dit Mamette, « la tête et le corps de son patron » : avec son profil de médaille, ce studieux, brevet sportif scolaire en poche, court, crawle, passe la barre et lance le poids à merveille. Des forts en thème qui font de petits pro-

fesseurs, j'en connais; comme des musclés qui
finissent débardeurs. Mais je suis tranquille : il
ne fait pas de complexes, lui; il est autrement
organisé que moi. Cet équilibre insolent, cette
application qui sait s'aérer, comme se minuter,
iront loin.

Qu'il m'agace pourtant — et très souvent — il
faut l'avouer. Né supérieur, il n'a pas la supério-
rité discrète. Je ne donnerais pas cher de l'estime qu'il me porte. A le voir feuilleter, négligemment, la série de mes livres de prix, on sait
ce qu'il pense de leur poussière, on peut jauger
son étonnement. Il murmure parfois, songeur :
« Diable, pourquoi n'as-tu pas fait l'agreg? » et
je me sens comme une colonne brisée, sur la
tombe d'une jeune fille. Certes, il me consulte
toujours, très décemment, car il a aussi de la
discipline : celle du saint-cyrien, bientôt sous-
lieutenant, devant le sergent de service qui le
commande encore. Il me consulte pour entérine-
ment : « Tu ne crois pas, me demandait-il déjà
en troisième, que je devrais prendre l'espagnol
comme seconde langue? » Sur le ton des choses
décidées. Comment faire autrement, du reste,
que de l'approuver? Ses projets sont toujours
sérieux, ses ambitions louables.

« Ce petit n'a qu'un défaut, m'a souvent

répété sa grand-mère. Il ne vous donne jamais
l'occasion de dire non. »

Ceci à mon usage, comme de juste. Déçue par
les quatre galons de son époux, Mamette serait
plutôt béate d'admiration devant Michel, futur
polytechnicien, donc futur général. Laure aussi.
Louise aussi. Et même Bruno, qui trouve son
frère « drôlement fort ». Mais mon admiration,
à moi, est plus nuancée. Comment dire? Michel
est le préféré de M. Astin. Il est le fils dont on
le félicite, partout, qui lui fait saillir la pomme
d'Adam, pour se rengorger; le modèle, à quoi
l'on peut prétendre, quand on bénéficie vraiment de ses chromosomes. Il le justifie, auprès
des voisins, des collègues. Il lui rouvre l'avenir.
Il lui tient chaud au cortex.

Malheureusement, ce qui vous donne de l'orgueil ne vous inspire pas toujours de la fierté.
Michel est moins bien pourvu des qualités qui
vous tiennent chaud au cœur. En fait de moi-
moi, on ne fait pas mieux. Après lui, il aime
bien tout le monde, c'est sûr et il est même très
attaché à la maison. Mais pas du tout dans le
genre lierre, comme Laure, ni dans le genre chat,
comme Louise. Son genre à lui, ce serait plutôt
le lustre. Pour ses frère et sœur, il est trop haut
dans les airs et son affection ne saurait leur dis-

penser autre chose que des lumières. Pas question de s'associer à un jeu, sauf s'il est savant,
comme le bridge ou les échecs; et alors il com-
mente, il fait un cours, il explique ses coups.
Malgré mes remarques, il a la manie de rectifier,
de reprendre, d'un air docte qui m'horripile. En
mon absence, aucune erreur ne passe à sa portée
sans être aussitôt relevée. Il épluche la conversation. Il épluche la télé. Mais surtout il épluche
Bruno, cette « patate » — il est vrai, pleine de
points noirs.

Rentrant à l'improviste, je le trouverai même
en train de passer un savon à son frère, qui
contemple mélancoliquement une copie satu-
rée de carmin. Je surprendrai cette apostrophe
enflammée :

« Tu me fais honte. Tu as de la chance que
le vieux te passe tout. Moi, je te... »

Il se taira, trop tard, en m'entendant claquer
la porte, en me voyant foncer. Bon Dieu, avez-
vous entendu ce Jean-Foutre? J'ai eu, une
seconde, l'impression de me dédoubler, de me
revoir, de jouer au revenez-y. Voilez-vous la face,
M. Astin, vous qui, à Villemomble, dans vos sévé-
rités, mesurez votre auguste voix. C'est un père
grossier, tout rouge, qui clame :

« Dis donc, toi, si tu t'occupais de tes fesses... »

Enfin, pour la Fête des Morts, nous voici tous
au cimetière, aux quatre coins du caveau de
famille des Hombourg : un caveau à dix places,
qui rassemble, pour l'instant, les grands-parents,
une tante, un frère mort en bas âge, le commandant et Gisèle. En mon absence, on n'a pas
enterré Gisèle dans le caveau des Astin et je le
regrette. Elle n'est pas chez moi; et je ne pourrai
pas, plus tard, auprès de ma femme, retrouver
cette longue entente des os qui, dans les concessions à perpétuité, c'est-à-dire pour deux ou trois
siècles — cinq à six fois la vie humaine —,
replâtre les plus brefs, les plus mauvais ménages.

Cette entente posthume où tout s'efface et
qu'un transfert pourrait lui imposer (j'y ai
pensé), elle a dû la refuser, la trouver hypocrite.
Comme elle trouverait sans doute hypocrite la
réunion de famille que nous tenons au-dessus
d'elle, décemment vêtus de sombre et les bras
encombrés de ces navrants chrysanthèmes que je
trouve chaque année plus laineux, plus frisés,
dans le grand moutonnement funéraire du jour.
Laure arrache un brin d'herbe, redresse les cou-
ronnes de perles dont les inscriptions rouillent.

A ma fille. A ma sœur. A ma femme. Laure, qui
a choisi celle-ci pour moi, s'est montrée discrète.
L'adjectif d'usage, c'est la couronne des enfants
qui le proclame : *A notre mère bien-aimée.*

Ils étaient tous jeunes, à l'époque. Ils ne se
souviennent pas d'elle. Mais ils la regrettent vraiment; ils regrettent le mythe entretenu par leur
grand-mère — qui adorait son aînée —, par
Laure, devenue son ombre à mes côtés, par leur
père que défend cette légende. *Votre pauvre
Maman qui était si jolie. Votre pauvre Maman
qui était si bonne. Votre pauvre Maman...* Nous
faisons tous chorus dans l'évocation et nos
silences mêmes sont des silences chauds. Impos-
ture sacrée. Quel bourreau, du reste, aurait le
cœur de donner la rime juste? *Votre pauvre Maman, qui avait un amant...* Pour leurs orphelins
les mortes ne laissent que des maris chéris; les
mortes ne laissent que des portraits parfaits. Il
y en a au moins cinq dans la maison : un chez
Louise, un dans l'escalier, un chez les garçons,
un dans le vivoir, un dans ma chambre où Gisèle
rit de toutes ses dents, en face du portrait de ma
mère que j'ai seulement accroché un peu plus
haut. Il y en a un sur cette tombe même, dans un
médaillon d'assez mauvais goût. Sans le voir,
Louise, très chose, pique du nez, torture le gra-

vier d'un haut talon noir. Sans le voir, Michel
observe sa minute de silence. Mais Bruno, étiré
par son premier pantalon long, sec comme un
piquet, n'en détache pas les yeux.

« Nous rentrons? » demande Laure, du ton
qu'il faut.

Oui, allons, allons vite. Pour l'entraîner j'ai
pris le bras de Laure, qui sourit. Je le lâche aussitôt, mais je hâte le pas. Il faut que Bruno se
secoue. Pour rien au monde je n'en soufflerais
mot, à quiconque, mais il y avait dans son regard
quelque chose d'intolérable. Nul reproche : ce
n'est pas son affaire. Peu de piété : ce n'est pas
son genre. Pas de chagrin : ce n'est plus le temps.
Une sorte d'envie, plutôt. Une gourmandise
aiguë d'enfant pauvre qui lèche la vitrine du
confiseur. Le mythe nous ruine. Ce n'est pas sa
mère pourtant qui l'élève; ce n'est pas sa mère
qui a dû oublier; ce n'est pas sa mère qui a souf-
fert... La morte, encore une fois, démunit le
vivant qui, de cette gourmandise, lui-même, est
affamé.

IV

Pourquoi n'ai-je pas encore tout dit? Pourquoi ai-je à peine parlé de Laure et de Marie? Je ne sais. Abonné à l'embarras, j'y trouve aussi un bon refuge, de bons prétextes pour n'approcher de moi qu'à tâtons. Fausse pudeur. Parler d'abord de ceux qui vous occupent, c'est, hypocritement, s'occuper de soi-même. Chez les gens de la petite espèce, l'égocentrisme a cet aspect; et s'il n'éclate pas, comme on le voit communément, c'est qu'ils ont pour se taire, pour feindre d'ignorer qui les gêne, une patience inouïe. Comme les poissons des abysses, ils savent obscurément supporter d'effrayantes pressions de silence. De la moindre allusion, durant des années, j'ai su ainsi me défendre pour m'enfermer dans une rigide — et risible — sérénité. Ma belle-sœur, un moment, a pu en être dupe. Mais certainement pas ma belle-mère, cette finaude; et encore moins Marie Germin, dont l'amitié ne me ménageait guère et qui me répétait souvent :

« Mon pauvre Daniel, si je ne te connaissais pas, je te croirais amateur de situations fausses. »

Se faisant détester pour une heure, elle devait même, une bonne fois, ajouter :

« Car, en fait d'impasse, celle où t'a mis ta femme, n'est pas la plus déplaisante. Gisèle, au moins, est morte. Mais Laure, elle, est vivante. Vous vivez empêtrés dans un filet de regards et de sous-entendus. Tes voisins, tes amis, tes enfants mêmes te guettent... »

Mes enfants mêmes, oui. Cela devenait évident. Très jeunes, les enfants acceptent les choses comme elles sont. Puis, avec les centimètres, *leur tête monte,* comme disait Maman. Ils parlent sans réfléchir, ils ont des naïvetés aiguës, qui font mouche. Enfin ils réfléchissent, sans parler : ce qui n'est pas meilleur.

« Puisque tu fais comme si, ça ne changerait rien si tu te mariais avec Papa », disait Bruno à huit ans.

A douze, Louise éclatait de rire devant le nouveau facteur qui abordait Laure en murmurant : « Madame Astin? » et lâchait étourdiment : « Enfin, presque », sans soupçonner le double sens que la malveillance pouvait prêter à ces mots. Mais l'année suivante, Michel rétorquait vivement : « Je vais chercher ma tante » au démonstrateur de la maison Singer, qui, lui aussi, demandait Mme Astin. Et plus tard, en telle occurrence — forcément fréquente — il se contentera de frémir du nez ou d'ébaucher à mon adresse un engageant quart de sourire.

A l'inverse, sa grand-mère devenait lancinante, m'asticotait avec la prudence acharnée du moustique. Les vieillards n'ont plus rien à craindre, sauf de partir trop tôt, avant d'avoir pu conclure. Assez rouée pour ne pas risquer un refus, donc pour ne pas poser de question directe, Mme Hombourg entendait m'avoir à l'usure. Pleine d'esprit de suite, décidée à m'offrir ses filles — et celle-ci, dans son esprit, rachetant celle-là — elle renouvelait inlassablement les hasards de la conversation, elle m'accrochait de toutes les façons. Sur le mode badin, on ouvrait un hebdo, on y voyait la photo d'un soyeux atelier de couture, on s'écriait :

« Je vois d'ici Daniel dans cette fosse aux lionnes! Pas une n'arriverait à mettre son célibat en pièces! »

Sur le mode sérieux, qu'elle maniait moins bien, Mamette grattait ses cordes vocales, toussotait par exemple, à propos d'un remariage :

« En voilà un qui était pressé, lui! Enfin,

quand on a des enfants et qu'une brave fille les accepte, on ne peut pas rater l'occasion de leur refaire un foyer normal. »

Mais sa préférence restait à l'hosanna, chanté à la cantonade, de préférence en l'absence de Laure, mais souvent en présence des enfants. Laure, notre merle blanc, Laure, notre perle (sous-entendu : à qui manque l'or d'une bague). Laure dont nous abusons depuis bientôt dix ans, Laure qui pourrait, Laure qui devrait, Laure que ses attaches empêchent, la pauvre fille, de nous quitter. Pour être gros, c'était gros : une vraie provocation. Je subissais, poliment, ses postillons. J'écoutais, imperméable, vraiment navré de son dépit et de la tête à claques qu'elle m'obligeait à lui opposer. Mais parce que j'avais déjà, en somme, consenti dans le passé à un arrangement de famille, parce que le proverbe « Qui ne dit rien, consent » signifie en réalité « Qui ne consent à rien le dit », parce qu'enfin, incapable de la remplacer, je n'écartais pas Laure et m'efforçais de la payer de quelques gentillesses, aussitôt interprétées, Mamette ne perdait pas l'espoir et, à la première occasion, redébobinait son fil blanc.

Sa patience ne la quitta qu'une minute, où je faillis me verrouiller d'un non définitif. Je venais de passer deux heures chez Marie à Ville-momble, de boire un thé fadasse, accompagné de petits fours trop secs — des petits fours de célibataire — mais aussi de ce brillant bavardage dont sont toujours friands les petits intellectuels et que Laure n'a pas le temps de m'offrir. *France-Soir* sous le bras, je hâtais le pas, à peu près sûr d'être deviné par ma belle-sœur, qui connaît mes heures, et d'avoir devant moi, pour la soirée, un visage de bois. Bien entendu, j'avais pris mon trottoir, côté pair, pour tâcher d'éviter Mamette, embusquée depuis le mois de juin derrière la fenêtre ouverte, son observatoire d'été.

Peine perdue. A demi soulevée sur les avant-bras, pointant le nez entre le pot d'herbe aux chats et une cactée menaçante, elle surveillait la rue.

« Daniel, cria-t-elle, vous voulez me passer le journal? »

On ne pense pas à tout. Il ne fallait pas acheter le journal. Je traversai. Mamette happa *France-Soir*, mais ne l'ouvrit même pas. Assise en majesté et, pour plus de solennité, écartant son chat, elle croisait les bras, rentrait le menton dans la peau flottante de son cou.

« Je ne suis pas fâchée de vous tenir, dit cette
aïeule grave, mais zozotant un peu, à cause de
l'éternel bonbon à la menthe collé sous sa gen-
cive. Il faut que je vous parle. Est-ce que vous ne
voyez pas, vraiment, que Laure n'en peut plus? »

J'eus peur, tout de suite. Etions-nous au bord
de la grande explication? Cette phrase, d'ailleurs,
cette phrase-là, exactement, elle me l'avait déjà
lancée, des années plus tôt. Mais il s'agissait de
Gisèle, de ma femme, qu'il était urgent de retenir. Je ne retenais pas Laure.

« Si elle n'en peut plus, qu'elle se repose!
Nous nous débrouillerons, fis-je, stupide.

— Vous savez très bien qu'il ne s'agit pas de
ça, reprit Mme Hombourg, cassante, presque
indignée. Elle perd son temps et sa jeunesse. Elle
se ronge.

— Nous avons fait tout ce que nous avons pu
pour la marier.

— Tout ce que vous avez pu, vraiment! »

Tout ce que j'avais pu, *vraiment*. N'avais-je
pas amorcé deux ou trois tentatives pour trouver
des partis honorables et, récemment encore, présenté un collègue devant qui Mamette avait tant
poussé de soupirs, tant aiguisé de sourires que
j'avais dû m'excuser auprès du malheureux.

Vexé (parce qu'il était vrai que Laure perdait chez moi son temps et sa jeunesse, que je l'exploitais, avec son consentement), je me tenais à quatre pour ne pas crier : « Mille regrets. S'il est d'usage dans les familles de sauter sur le veuf pour l'accrocher à la vieille fille, tant pis! après l'échec que vous savez, je n'ai pas envie de refaire un mariage d'occasion. » Mais Mme Hombourg savait s'arrêter à temps :

« Franchement, je me demande s'il ne vaudrait pas mieux qu'elle s'en aille, reprit-elle, baissant le ton. Ici, elle est prise dans un engrenage dont elle ne peut sortir. »

Elle était enfin sincère. Cet engrenage-là, cette mécanique, depuis des années, pour ne pas l'entendre grincer, j'y mettais beaucoup d'huile. Par prudence, je contrattaquai :

« Si je comprends bien, Laure vous a chargée... »

Mamette ne me laissa pas le temps d'achever :

« Ça non, protesta-t-elle, vous la connaissez. Elle se tait comme on se tue. Elle m'arracherait la langue, si elle m'entendait. »

Elle dépliait *France-Soir*, côté pile : *Le crime ne paie pas, Les amours célèbres*. Puis, retournant le journal, elle inspecta les gros titres, ajusta ses lunettes, les ôta, les remit. Mais comme j'avançais le pied, doucement, pour dériver vers le pair, elle se ravisa, relança le harpon :

« Excusez-moi, Daniel. Je suis sans doute une vieille dame idiote. Le commandant, qui m'aimait bien, se faisait un plaisir de me le répéter. Pourtant, malgré mon âge, je supporte assez mal d'être veuve; je me sens sur une patte, comme le héron. Je me demande de quel bois vous êtes fait, vous, qui êtes encore jeune, pour rester solitaire. »

Point de liaison, n'est-ce pas? Succession fortuite de maternelles remarques. Le reste était inévitable :

« Personne ne vous en voudrait, vous savez, si vous songiez à vous remarier.

— J'y ai songé, ma mère. »

Partie nulle. Six mots secs, à double sens, nous interdisaient d'aller plus loin. On me conseillait de convoler. J'y avais pensé, en effet. Mais si ce n'était pas celui de Laure, un nom, pour Mamette, valait un non. D'un coup de langue je la vis avaler le bonbon à la menthe, aussi longuement resucé que ses tendres projets.

« Je vous fais confiance, dit-elle précipitamment. Je sais bien que, si vous vous décidez, ce sera pour quelqu'un que les enfants puissent accepter. »

Durant quelque temps elle se tint coite,
m'épargnant de telles scènes, où je forçais mon
talent qui ne fut jamais d'être odieux. Mes
reparties, du reste, ne laissaient pas de m'étonner. Nul doute que ma faiblesse s'y contractât,
aidée par le fait que ma belle-mère, malgré ses
airs, tournait autour des choses, jouant ainsi le
plus mauvais rôle qu'on puisse tenir auprès de
moi : celui de solliciteuse. Cette hargne semblait
me prêter du caractère et j'imagine qu'elle faisait beaucoup pour nous persuader tous — les
Hombourg comme moi-même — d'un sentiment
dont je n'étais pas sûr, alors que j'avais moins
envie de Marie que peur de Laure et, probablement, peur du mariage, avec l'une comme avec
l'autre.

De toute façon je n'en étais pas fier. Le soin
que je mettais à éviter une union qui, en tous
points raisonnable, eût consacré un état de fait,
réjoui mes enfants, remercié des années de
dévouement, avait pour Laure quelque chose
d'insultant. Ma répugnance me répugnait.
Déjà, les mots me pèsent, la confusion me
gagne. En fait de répugnance, s'il en est une qui
m'afflige, c'est, tenace, accablante, celle que de
tout temps j'ai eue pour moi (et que je crois

aisément partagée par autrui). Je suis bien le
dernier des hommes à pouvoir faire l'avantageux
en dédaignant qui me distingue. Toute estime,
toute affection m'obligent, dans les deux sens du
terme. J'ai toujours trouvé, de ma part, l'hésitation insolente, le refus grossier et je tiens pour
certain que j'aurais pu être victime de n'importe
quelle aventurière si je n'avais été en quelque
sorte protégé par ma grisaille. Citons encore une
fois l'encourageante Mamette, disant de son
époux, à mon intention :

« Avec lui, j'étais bien tranquille. Pour se
jeter à la tête d'un homme, il faut tout de même
qu'elle en vaille la peine. »

En quoi la mienne l'eût-elle value? Ecorchons
ici ma sincérité, grattons-la jusqu'à l'os. Quand
ce n'est pas un habile détour, ce peut être une
parade inconsciente que d'incriminer ses avan-
tages, pour ne pas mettre en cause ceux de la personne dont le choix nous incommode. Le *non
sum dignus* est alors un raffinement du refus,
assez dans ma manière. Mais il n'en reste pas
moins que toute recherche dont je me sens l'objet m'étonne. C'est si vrai que je viens de dire
« recherche » pour ne pas dire « sentiment », et
encore moins « amour », ces mots me semblant
trop gros. C'est si profond que je ne peux voir

un film sans détester le roucoulant héros et trouver ridicule le beurre-bouche que lui accorde la
dame. C'est si tenace, enfin, que trois chances
n'y auront rien fait, et qu'après Gisèle, après
Marie, après Laure, je me dirai toujours : « On
m'aime? Allons, voyons, soyons sérieux, on est
gentille, on est bonne fille, on fait ce qu'on peut,
on donne le décor d'usage à ses petites raisons. »

Et celles de Laure me paraissaient claires :
« Elle a d'abord fait sur moi, à l'âge bête, une
petite fixation. J'étais là. J'étais le seul homme
de l'entourage et le mari de la sœur aînée qu'une
cadette jalouse toujours un peu. Béguin d'adolescente : ce sucre fond vite. Mais la guerre est
venue, écartant les épouseurs et Gisèle est morte,
lui laissant les gosses sur les bras. Laure a
attendu et à mon retour, faute d'occasions, elle
a continué d'attendre, si bien qu'elle a fini par
croire que c'était moi qu'elle attendait. Femme
à demi casée, femme à demi gâchée. Elle n'a,
malgré la différence d'âge, même plus envie de
faire mieux. Elle s'est identifiée à la maison,
accrochée aux enfants. Elle donne mon nom à
ses habitudes. »

Aux miennes, malheureusement, bien qu'elles
fussent les mêmes, je n'avais pas envie de donner
son nom. Que Laure fût une ménagère efficace,

infatigable, attentive et gratuite, je n'en disconvenais pas. Mais épouse-t-on une femme pour des qualités ancillaires, comme on épouserait sa bonne? Son affection pour les enfants, sa délicatesse me touchaient plus, comme sa discrétion, son souci de ne jamais s'imposer, de ne pas jouer l'indispensable — qu'elle était, en fait — et la confusion qui la mettait en fuite dès que sa mère chantait, devant moi, ses louanges. Moins jolie que sa sœur et pâtissant de la comparaison avec mes souvenirs, elle était bien plus jeune, donc en réalité, plus fraîche, plus désirable que n'eût été Gisèle, si elle avait survécu; assez désirable même, malgré ses blouses et ses fanchons, pour intéresser l'œil, de temps à autre, à son décolleté. Mais incapable de s'en aviser, elle l'était plus encore d'en tirer parti; et je n'accordais moi-même aucune importance à ces tentations, vite éteintes sous la paupière, comme le sont tant d'autres qu'allument en nous d'accortes passantes et qui ne nous incitent pas pour autant à nous méconduire ou à nous précipiter à la mairie.

Coup de chapeau à ses qualités, coup d'œil prudent à ses charmes. A la gratitude près, qui était vive, cela s'appelle indifférence et le handicap est sérieux, même pour un homme capable

— je l'avais déjà démontré — de s'attacher après
coup. Mais Laure avait encore contre elle d'être
une Hombourg, d'être la sœur de Gisèle; et la
mienne, comme telle définie, installée dans ma
maison, dans mon train-train. Le fait de m'être
dévouée l'empêchait presque, en un sens, de
m'être vouée. Que tout fût en place n'arrangeait
rien. Bien au contraire. Même si je n'avais pas
eu d'autres projets pour faire une fin, avec une
autre femme, vraiment choisie, j'aurais envisagé
avec aussi peu d'enthousiasme d'épouser Laure,
cette remplaçante, dont le pire tort était justement de prendre la suite, de me la faire prendre
avec elle. Je me souviens d'une phrase lancée —
à Marie, bien entendu — le lendemain de l'ac-
crochage avec ma belle-mère :

« Avec Laure, ce ne serait pas un mariage,
mais une reconduction! »

Aveu significatif, qui ne se sépare pas des commentaires de Marie, servis en deux temps.
D'abord, du bout des lèvres :

« C'est vrai, mais depuis des années tu ne fais
rien d'autre que de la reconduire, ta vie, dans
l'attente. »

Puis d'une voix bizarre, mi-rieuse, mi-sérieuse,
glissée sous les dents et qui, devenue plus fréquente, commençait à m'inquiéter :

« Tu ne dis pas tout, d'ailleurs. Ou tu l'ignores. Mais moi, je ne le sais que trop : aimer Monsieur, ce n'est pas tellement pour lui une référence. Il se roule si bien dans sa modestie, il se déplaît si fort qu'il n'admet pas de plaire. Tu es persuadé que Gisèle t'avait épousé par erreur, par inattention. De Laure, qui a eu le temps de réfléchir, tu penses confusément qu'elle n'a pas le choix difficile : ce qui la rabaisse à tes yeux. Ou encore qu'elle a pitié : ce qui tout de même te désoblige. Et ne parlons pas de moi... »

Il me faut pourtant bien parler d'elle, maintenant. De ce côté, ma gêne était peut-être moindre, mais la situation aussi fausse. En me taisant devant Laure, en confiant tout à Marie, j'abusais de la même patience; et dans l'espoir de lasser l'une, dans celui de ne pas lasser l'autre, je cherchais à gagner du temps, à repousser l'heure des explications. Je me revois, tassé dans un gémissant fauteuil d'osier, devant Marie, qui surveillait sa bouilloire. Je m'entends lui raconter la scène avec Mamette et souffler, mollement satisfait :

« Enfin, je m'en suis tiré!

— Tiré de quoi? On comprend qu'elle veuille savoir à quoi s'en tenir », jeta Marie.

Elle fit trois pas vers la fenêtre, en retenant sa
jambe, comme elle le faisait devant ses élèves.
Elle tapotait les vitres, nerveusement; elle ne
disait plus rien. Mais je comprenais trop bien ce
qu'elle criait, à bouche fermée : « Et moi? Saurai-je enfin à quoi m'en tenir? Ton alibi, là-bas,
ce sont ces liens de famille. Ton alibi, ici, c'est
l'amitié. Et tu m'assotes de confidences, tu jases,
tu jases, tu me répètes cent fois les motifs pour
lesquels tu n'épouseras pas Laure, sans lâcher un
mot de ceux qui te pousseraient vers une autre.
Où en es-tu? Où en sommes-nous? Cela va-t-il
encore durer longtemps? »

Soudain elle revint de la fenêtre, boitant bas.
Et je me souvins de l'entrevue que je lui avais
ménagée avec Maman, quinze ans plus tôt, alors
que j'espérais en faire ma fiancée. Refusant de
tricher, elle était arrivée, clopant de toute sa
jambe. Par loyauté, je pense. Et ma mère, après
son départ, avait murmuré : « Quel dommage!
La fille est remarquable et deux traitements de
professeur, au lieu d'un, c'était à considérer.
Mais vraiment elle boite trop, nous ne pouvons
pas. »

Cette fois encore, Marie clopait de toute sa
jambe : avec beaucoup d'à-propos. « Je suis une
pauvre dot, disait la jambe. Qui me porte ne

peut être soupçonnée d'erreur ni de pitié. Est-ce
que je boite assez fort pour te rassurer? » Elle
me rassurait, en effet, comme ces deux mariages
manqués, avoués par Marie et qui, dans l'infor-
tune, nous mettaient à égalité. De quoi s'inquié-
tait-elle? Le fait de l'avoir retrouvée, après
l'avoir perdue de vue, oubliée, m'apparaissait
comme un signe. Je ne suis pas de ces frénétiques
qui bouleversent leur vie — et celle de leurs
proches — pour une femme. Mais si j'en souhaitais une, c'était bien elle. Avec Marie je retrou-
vais à la fois ma jeunesse et mon âge, une amitié
et ce que je préfère appeler, par simplicité, un
attachement. Un attachement libre. Nullement
cerné par des obligations, des pressions, des arguments extérieurs. Ne me priant pas d'en bas,
avec la patience harassante, les paupières tom-
bées de Laure, mais d'en haut, avec l'assurance
de ce regard vert qui ne se laissait point enfermer sous les cils, de cette bouche aux commis-
sures un peu fripées et frémissantes, qui articu-
lait posément :

« Il faudra pourtant bien te décider, Daniel. »
La bouilloire chantait. Marie étendit le bras
vers la boîte à thé. Mais comme je bafouillais
quelques phrases, vaguement encourageantes,
elle haussa les épaules :

« Laisse, dit-elle, tu me fatigues. »

Une minute de silence nous soulagea. Elle restait figée, toujours debout devant moi et je lui trouvais cette grâce seconde que nous avons tous connue chez nos mères, ce charme en péril où s'abolit le règne bref de la peau et qui rend les femmes plus intérieures, comme si leurs premières rides, autour des yeux, en faisaient mieux rayonner l'éclat. Enfin Marie s'anima.

« Les petits, ça va? demanda-t-elle.

— Oui, merci. Ça va même très bien. Michel est ébouriffant : 16,4 de moyenne. Et Bruno, lui-même, a trouvé moyen de figurer au tableau. J'ai eu peur un moment de le voir redoubler sa quatrième, mais le voilà qui démarre. Il change, d'ailleurs. Il est presque accessible. »

Le réveil — un tout petit réveil tapi sur une étagère — laissa filer quelques secondes.

« Le petit bougre t'a-t-il assez fait peur! De ce côté-là, au moins, il y a du progrès », reprit Marie.

Sans conviction. Et de nouveau songeuse. Pour sortir les gâteaux, trop secs, pour empoigner la théière, ses gestes me parurent saccadés. Le passe-thé se décrocha, vint souiller le napperon. Marie non plus ne disait pas tout, taisait le véritable obstacle, le seul avantage de Laure. Oui, j'au-

rais dû écarter celle-ci, mais les enfants ne le voulaient pas. Oui, j'aurais dû épouser celle-là, mais
les enfants ne le voulaient pas. Aucun des trois.
Ni Louise que le seul nom de Marie transfor-
mait en statue de sel. Ni Michel qui devant moi
osait dire : « La prof de Villemomble a téléphoné », et derrière moi, je le savais, disait :
« la patte folle ». Et encore moins Bruno dont
renaissait, à la moindre allusion, le sifflotement
solitaire et farouche. La conversation languit,
le thé tiédit dans ma tasse, à moitié vide et où
le sucre n'avait pas fondu.

« Que fais-tu de tes vacances? dit encore
Marie.

— Nous irons à *L'Emeronce,* évidemment.

— Tâche au moins de m'écrire. »

Je l'embrassai, ce que je faisais rarement. Mais
dans la rue l'humeur me gagna; et même la mauvaise foi. Ce refuge allait-il devenir incertain?
Serais-je désormais à Villemomble aussi guetté
qu'à Chelles? Ce qu'espérait Marie, je l'espérais
aussi. Mais y parvenir n'était pas le problème le
plus urgent. Voilà que brusquement je repen-
sais à Bruno. Les vacances approchaient, où, poil
au vent, nous aurions sur le sable plus aisément
raison de M. Astin.

V

Six semaines de vacances, c'est notre tarif, nous nous y sommes toujours tenus; et nous les avons toujours passées à la maison d'Anetz, à *L'Eme-ronce,* qui nous évite, chaque année, une location.

Perdue au bout d'une tortueuse vicinale aux talus hérissés de têtards d'aune, aux fossés si profonds qu'y remonte l'anguille, *L'Emeronce,* ce n'est pas une propriété. Près d'une cale désaffectée, d'un semblant de plage, ce n'est qu'un poste de pêche, inabordable l'hiver quand les Ponts et Chaussées ferment les barrières de crue. Une bicoque sans valeur, en pierre rousse, entremêlée d'ardoise à bâtir. Une ancienne écurie, pour être précis, flanquée d'un four à chanvre, juchée sur une terrasse qui fut une plate-forme à fumier et qui devient une île à chaque inondation. Abritée par deux ormes géants, dont les racines main-

tiennent la butte, elle domine sept cents mètres
de basse Loire.

Nous avons là trois pièces chaulées, presque
vides, un campement, dont l'inconfort nous offre
au moins un des rares paysages qui ne soient pas
devenus un rendez-vous de saucissonneurs.
Comme beaucoup de gens qui ont toujours
habité près d'une rivière, je sais mal me passer
d'eau et la plus belle lumière provençale ne m'en
rembourserait pas : mon œil a soif. Bien que fief
des Hombourg, j'aime ce coin, où flue une brume
plus blonde que les nôtres, portée par un courant
plus vif, que font chanter les épis noyés. Et le
fait qu'à la mort de Gisèle et de son père, *L'Emeronce* soit passée à mes enfants (Laure gardant la
maison de Chelles, en indivision avec sa mère)
n'est pas pour me déplaire. M. Astin, à Anetz,
est chez eux : leur invité, leur camarade, plus
que leur père. Quand sa maladresse dérame à
contretemps, rate un ferrage, il se sent, il se
croit, il est sans doute plus proche d'eux, plus
assuré de leur joie pointue, de leur narquoise
gentillesse. A *L'Emeronce,* je suis autre. Nous
sommes tous autres, Laure comprise. Et il n'y a
que Mamette qui ne puisse s'y faire, qui ronchonne, qui regrette sa fenêtre, son cactus, son
chat, ses guéridons, ses ficelles-miracles.

Regrets relatifs, certes, mais assez virulents
pour nous obliger à respecter les fameuses six
semaines, séjour maximum qu'elle pût accepter
sans se rendre vraiment insupportable. Marie me
conseillait, depuis deux ans, d'envoyer ensuite
mes enfants dans des camps de la Mutuelle, pour
y respirer, sans moi, un supplément d'oxygène.
Par bonheur, les intéressés eux-mêmes ne le
réclamaient pas. Mamette grognait : « Pourquoi?
Ils ont déjà deux jardins. » Laure laissait
entendre qu'à son avis — ses avis sont toujours
feutrés, quêteurs, prêts à épouser les miens —
ce serait peut-être bon pour les garçons, moins
utile pour Louise. Moi, sans l'avouer, je pensais
le contraire et malgré les délais d'inscription je
murmurai : « Nous verrons » comme un pour
qui c'est tout vu. Expédier les enfants dans une
colonie, c'était, forcément, y expédier Bruno et
contrevenir à ma politique de présence paternelle.

Ces vacances-ci donc ne différeront point des
précédentes. Trêve sur grève : quarante jours
qui pour la seule Marie feront figure de carême.
L'intérêt de *L'Emeronce,* par définition, c'est
qu'il ne s'y passe rien; et comme les autres fois
en effet il ne s'y passera rien. Presque rien. Je
ne veux pas céder à la manie que j'ai, que nous

avons tous de faire des dates. Nos transformations sont trop lentes pour nous être sensibles.
Leurs signes avant-coureurs sont longuement
négligés. Tout « révélateur » qu'il soit, le dernier incident, celui dont nous prenons
conscience, peut-être insignifiant. Mais la
goutte est censée faire déborder le vase. Ironie
digne de mon intuition : un fleuve va s'en char-
ger.

Nous y voici. Pas de vent, pas de courant,
nulle excuse. Sous le ciel rougeoyant qu'elle dis-
sout, une Loire encore tiède glisse à peine, lisse
ses bancs, où piètent mollement des mouettes
engourdies par l'approche du soir. Du haut de
la butte, Mamette, tassée dans son fauteuil roulant et Laure, qui tricote, nous observent. Nous
avons sorti la plate, empruntée au père Cornavelle, l'unique voisin, mi-fermier, mi-braconnier
d'eau douce. Selon les rites qu'il nous a ensei-
gnés, la cordée est pliée à l'arrière; ses pierres
de plombée gisent dans le bateau, ses hameçons
embecqués de tortillantes âchées pendent, répar-
tis le long du bord pour éviter les accrochages.
Les gaffes en l'air, nous laissons aller, l'œil sur
les fonds, cherchant à repérer ces petits trous qui

dans le sable, où elles ont foui, signalent le passage des plies. Nymphe un peu dégoûtée et surtout soucieuse d'extorquer de l'ambre au soleil,
Louise fredonne et pigeonne, sans cesse rajustant
son pointu soutien-gorge. Michel, ce bel éphèbe
dont le caleçon de bain n'altère pas l'éternel
sérieux, accorde toute son attention aux bouées
du grand chenal et murmure :

« Si j'avais ma montre, je te calculerais la
vitesse du courant. »

Bruno, quasi nu, scrute le secteur avec une
attention d'Indien maigre, comme si en dépen-
dait sa subsistance. Mais voici des traces, rondes
il est vrai et non triangulaires. Je me penche plus
avant, je dis :

« Ça, ce serait plutôt du barbillon. »

Et plouf, fils et fille se sont portés de mon côté
sans réfléchir, si vivement que, cul par-dessus
tête, avec un bel ensemble, nous voilà dans l'eau.
J'émerge le premier, en riant. Michel rit aussi,
qui, déjà, sans s'inquiéter, fonce vers la rive pour
montrer que de nous tous il est de loin le meilleur nageur. Mais Louise et Bruno ne rient
guère, eux. Si j'ai de l'eau jusqu'aux épaules,
Louise en a jusqu'au menton; elle se débat, affolée, parmi ses cheveux flottants. Quant à Bruno
il n'a pas pied du tout et pointe un menton serré

en esquissant, il est vrai, une espèce de gre-
nouillade qui ressemble d'assez loin à la brasse.
Foncer sur lui, l'empoigner, c'est l'affaire d'un
instant. Cinq mètres plus loin la profondeur est
moindre.

« Et Louise! » souffle Bruno, qui peut maintenant gagner la berge tout seul.

Je n'ai plus qu'à me rejeter très vite vers sa
sœur qui vraiment se maintient à peine, boit la
tasse, crachouille en criant de plus belle. J'aurai
plus de mal à l'amener, pâlotte, ravalant des
hoquets, jusqu'à la cale, où Michel s'est hissé,
vainqueur insouciant qui lance à son frère :
« Tu arrives, hé, l'hippo? » Mais enfin ce sera
fait et nous n'aurons même pas à nous préoccu-
per du bateau qui, retourné, dérive doucement
parmi ses agrès. Poussant le sien, tout hérissé de
gaules, un pêcheur de Varades est déjà dessus,
tandis que Laure accourt, déployant une serviette de bain.

« Fichus bateliers! » crie Mamette, du haut de
son perchoir.

Encore trente pas et filant vers ma chambre je
passe devant elle :

« Et, vous, noble sauveteur, rugit la vieille
dame, on vous donnera la médaille en chocolat.
Vous piquez d'abord sur Bruno, qui sait un peu

nager... et vous laissez mariner Louise, qui ne sait pas du tout.

— Ne dramatise pas, fait Michel. Un bain forcé, ce n'est pas une noyade.

— Est-ce qu'il avait le temps de réfléchir? dit Laure. Il a pris le plus près. »

Le plus près, oui. Ce n'est qu'une expression dans la bouche de Laure dont le visage, une fois de plus, est tout gluant d'estime. Je sais ce qu'elle pense : un type bien, ce Daniel, tenant si fort à donner le change, à faire son devoir, qu'avant l'oiselle il a ramené le coucou. Comme on peut se tromper sur le compte des gens qu'on croit le mieux connaître! Comme on peut se tromper soi-même! Car ce qu'elle pense, jusqu'à cette minute, je l'ai moi-même cru et c'est bien ce qu'en moi je détestais le plus. Mais, Dieu merci, nous ne jouons pas du Corneille. Nous jouons tout au plus du Labiche. Michel a raison : un bain forcé n'est pas une noyade. Nul n'a sauvé personne, il n'y avait pas de vrai danger, rien qu'un peu de peur autour d'un léger accident. La seule, la belle nouveauté, c'est le réflexe; et le sens de ce réflexe dont M. Astin, tout Perrichon qu'il soit en cette stupide affaire, se trouve illuminé. Le plus près, Laure, tu ne t'es pas trompée. J'ai sauté sur celui qui est le plus près de moi.

Il est plus de sept heures. Le soleil couchant donne de biais dans la chambre où je me rhabille. Bruno est reparti, tout mouillé, après avoir seulement attaché la ficelle de son slip triangulaire. Michel est resté avec sa grand-mère. De petits cris de souris traversent la cloison : Louise, à côté, fait des gloses. Quant à moi, ridicule, j'enfile ma chemise comme si je revêtais la pourpre. Je sais maintenant. C'est clair. Ça devrait crever les yeux de tout le monde. Bruno, je ne l'aime pas moins. Le signe est renversé : je le préfère. Qu'il n'en sache rien, lui, qu'il n'y réponde pas, cela n'a aucune importance. La question n'est pas là. Elle n'a jamais été là. On se masque. Qui croit chercher l'amour d'autrui souvent cherche d'abord à s'assurer du sien et les preuves qu'il en donne, à tort et à travers, c'est à lui-même qu'il les destine. Mais que le sentiment de l'obligation disparaisse et tout change...

Après la chemise, le caleçon; et ce pantalon de toile qui sent l'herbe écrasée. Que le sentiment de l'obligation disparaisse et tout change. Je sais. Je peux, désormais, beaucoup plus. Parce

que je ne crains plus son jugement, ni celui de
personne, je peux élever cet enfant, juger de son
bien, cesser d'en faire trop pour éviter le reproche de n'en pas faire assez. Je peux me laisser
aller avec Michel, avec Louise, qui ont bien mérité cette compensation. Je peux songer à Marie :
Bruno devient un moindre obstacle dès l'instant
où je ne me soupçonne plus d'être capable de le
sacrifier. Mais on m'appelle. C'est la voix de
Mme Hombourg :

« Daniel, venez donc voir votre escogriffe. »

Je sors. Mamette pointe le doigt vers l'extré-
mité de la digue où, sur une Loire de cuivre, se
détache l'ombre chinoise de Bruno campé sur
l'ombre chinoise de la barque. L'escogriffe, malgré l'interdiction, s'est aventuré seul et, imper-
turbable, tend la cordée.

« Il crâne, dit Michel. Il veut nous montrer
qu'il n'a pas eu peur.

— S'il chavirait là, ce serait une autre histoire », dit Mamette.

Et sans attendre la réponse, elle hausse le ton :

« C'est ça, laissez faire. Mon pauvre Daniel, je
ne vous comprends plus. Vous étiez d'abord trop
sec, vous devenez trop coulant. Pour l'éducateur
comme pour le camembert le plus difficile, c'est
d'être à point.

— Je vous en prie, je sais ce que j'ai à faire. D'ailleurs, j'y vais. »

Une telle sortie, devant Michel dont pour plusieurs raisons je ne suis pas content, est inadmissible. Voilà mon exaltation tombée. Voilà que de nouveau je rumine en dévalant la butte. Au pied de la digue, le père Cornavelle raccommode une nasse en compagnie de sa fille, que Louise a surnommée Bécassine, et d'un petit vieux en paletot de drap bleu que je ne connais pas. J'y songe soudain : tout le monde sait que Bécassine est la fille de sa mère, que le père Cornavelle est venu après, légitimant la petite sans sourciller. Tout le monde sait qu'il adore Bécassine, toujours accrochée à sa main calleuse et lui criaillant des sottises qu'il accueille avec une indulgence bourrue, un gros tremblement des moustaches. Rien d'embarrassé, d'hésitant ni même de soutenu chez le bonhomme. Pas l'ombre de pitié dans l'œil. C'est sa nigaude à lui, voilà. Passion simple qui ne propose pas de leçon. Retenez-la tout de même, M. Astin, vous qui vous échauffiez tout à l'heure. De votre découverte il n'y a pas tellement lieu d'être fier. On va même sans malice vous forcer à rougir. Le père Cornavelle se relève, touchant du doigt sa casquette grasse. Lorgnant la Loire, le

petit vieux, son acolyte, crache une chique :
« Sapré gars, chevrote-t-il. Mais du gars. Et
qui vous ressemble... »

La cataracte, qui lui vitrifie l'œil, explique
bien des choses; la politesse fait le reste. Dans les
glaces Bruno ne m'a jamais donné la réplique et
de notre ressemblance — longuement épiée —
nul ne saurait sérieusement me convaincre. Bien
sûr, on trouve toujours, en cherchant, tel trait
qui nous apparente à quiconque. Bruno a le nez
rond comme mon cousin Rodolphe, comme
Marie, comme d'autres. Il a les cheveux de ma
mère : du brun le plus commun qui soit. Et
pourtant, petit vieux, qui tires ton couteau et
d'une carotte noirâtre te recoupes une chique
neuve, tu me fais peur. Si c'était vrai! Après tant
d'efforts, de détours et d'attente, il aurait belle
mine, ce père adoptant son propre fils; il pourrait se vanter d'avoir l'oreille fine pour écouter
en lui la voix du sang.

« Le voilà qui raccoste », dit le père Cornavelle.

On ne voit plus Bruno, ni la barque qui vient
de glisser sous les saules. Mais un long bruit de
chaîne râpe le silence du crépuscule, où les dernières hirondelles cèdent la place aux premières
chauves-souris. Puis entre les branches un jeune

corps apparaît, qui bondit de place en place sur des pieds nus que menace l'arête des cailloux enfouis dans le sable. Il a, ce corps tout neuf, quelque chose d'encore plus neuf que lui : une désinvolture, une assurance inhabituelles. A quoi bon m'avancer? Je n'ai pas fait dix pas que Bruno est sur moi. Il continue à sauter, avec une grâce qui tient encore de l'enfance, mais qui déjà fait jouer de vrais muscles. Il rit, il crie, d'une voix éraillée par la mue :

« Si tu m'attrapes, tu auras raison. Mais je ne voulais pas perdre tous nos vers.

— Viens, le serein tombe. »

Sa confiance m'étrangle. M'aurait-il deviné? Il esquisse un galop, se ravise soudain et m'attend, le cou tendu, les yeux graves. Nous rentrerons sans un mot de plus, dans la fraîcheur où les ormes commencent à frémir.

VI

Il était temps. Après m'être longtemps répété :
il est trop tard, j'allais souvent me redire cette
phrase. Sans trop de satisfaction. Sans motif précis. Il était temps, en effet : mais de quoi? J'ai
beau me méfier des dates, je découpe tout de
même des tranches dans mon passé. Pour moi
septième et sixième (car je compte en prof,
d'après les classes de Bruno) ont été notre plus
mauvaise période. Sixième redoublée, cinquième
et quatrième, c'est la reconquête. Nous appro-
chons de ce qui deviendra « ma belle époque ».
Mais la troisième sera encore une période de
transition : confuse et fluide.

Fluide, surtout. Elle l'eût été, de toute façon,
pour des raisons banales, communes à la plupart
des familles. Il est un temps, même pour les
meilleures, où les uns ne suivent plus quand les
autres s'égarent. Les ascendants semblent dé-

cliner, tandis que (et en partie parce que) les
descendants montent, font la poussée brusque et
fragile de l'asperge. En face de ceux-ci, assaillis
par l'adolescence, les adultes franchissaient tous
un cap : Mme Hombourg celui des soixante-dix,
Laure celui de la trentaine, Marie et moi celui
de la quarantaine.

C'est une situation dans laquelle on a du mal
à voir clair sur l'instant et plus encore après
coup. Je regrette parfois de n'avoir jamais tenu
de journal : les choses y prennent leur véritable
aspect, progressif, dans l'émiettement du quotidien. Mais je ne m'en suis jamais cru digne (et
j'en ai aussi été détourné par la découverte d'un
agenda de mon père où l'on pouvait lire, à la
date de ma naissance : *Payé 850 francs à Levas-
seur pour le toit. Dîner chez Rodolphe. Pâté
de prunes sensationnel, Louise en a mal au
ventre.* Puis en post-scriptum, hâtivement
crayonné : *Minuit. Erreur. C'était Daniel*). A
défaut de carnet, du reste, j'ai une autre manie,
contractée pendant mes cours d'étudiant respectueux et dont je devais abuser dans les silences
pénibles de la maison. Réfugié, sous mes cils,
j'observe — et je m'observe — à la petite
semaine; je prends, mentalement, des notes, je
me griffonne la mémoire. C'est une de mes

faiblesses que de relire ensuite, de commenter des nuits entières, cette espèce de journal de tête, en faisant défiler, une par une, les sept personnes qui — moi inclus — ont composé mon univers.

Pour faire vraiment le point — comme j'appelais la chose — la ressource était mince. Contentons-nous-en et dans le même ordre, mes sept, retrouvons-les encore.

Mamette. (Honneur à l'âge, si vous voulez. On expédie d'abord ce qui compte le moins.)

Les vacances, l'air de la Loire, selon elle, ne lui avaient rien valu. Elle se ratatinait. Elle n'offrait plus, sous la masse de ses cheveux blanc-jaune, qu'une réduction amazonienne, une petite tête aux yeux cousus de sommeil.

Se méfier de ce sommeil demeurait sage, néanmoins : Mme Hombourg n'avait pas renoncé. *Laure, notre perle,* le refrain tournait au radotage; et de temps en temps, sous la lèvre pendante, le chicot s'animait, une langue de lézard se mettait à frétiller. On m'associait à la décrépitude. On parlait de mon âge, pour souligner l'urgence de faire une fin :

« Quadragénaire, Daniel! Nous voilà du même

bord. Avez-vous remarqué? C'est à quarante ans qu'on devient *génaire*. Et qui dit génaire dit gêneur. Vous l'êtes quatre fois, moi sept. Pour nous débarrasser de l'étiquette, il faut maintenant passer le nona, filer jusqu'à cent, mériter une considération exceptionnelle pour un beau cas de résistance de l'espèce... »

La méninge devenue un peu chiche, Mme Hombourg resuçait sa trouvaille :

« Et vous êtes toujours célibataire! Un céliba-génaire, oui, mon pauvre Daniel. »

Laure. Des trente ans de celle-ci, pas un mot dans la bouche de sa mère. C'était pourtant sans importance pour la petite belle-sœur installée d'avance dans la trentaine. Elle ne changeait guère, elle ne changerait plus avant longtemps. Il y a de fragiles vieilles filles, *à utiliser avant le*, comme les médicaments. Il y en a d'autres du genre conserve, plus résistantes, mais qui s'aigrissent. Laure était décidément du genre confiture : défendue par cette patience, cette douceur, ce sucre qui va s'épaississant à la surface du pot.

Silencieuse, toujours. Invisible dans l'ubiquité. Continuant à s'occuper de tout ce que

nous, les hommes, nous appelons les petites
choses et s'y démenant, se faisant décidément
une fête de ces accablants fétus. La fourmi ténue,
la fourmi tenace, qui fait rêver aux cigales. Déli-
cate pourtant : mais avec cette indécrottable
déférence qui lui interdisait de sembler déli-
cieuse.

Seule nouveauté, avouée par les cordes de
chanvre où séchait la lessive : Laure ne portait
plus de combinaisons de toile ourlées au point
cocotte, de culottes de jersey. Depuis que Louise
l'avait raillée devant moi, elle faisait, comme
elle, sécher du nylon blanc, de tendres riens, sur
quoi fleurissaient des coquines et multicolores
épingles de plastique.

Pour le reste, résolument conservatrice.

Louise. Celle-là ne le serait pas du tout. Au
physique et bien qu'elle me ressemblât (les filles
ont de ces tours pour enjoliver les ressem-
blances), elle devenait plus qu'agréable. Il lui
restait encore un teint de celluloïd, mais elle
poudrait ce baigneur, avec application, d'une
oreille à l'autre.

Au moral, j'en étais moins content. Elle tan-
guait de la hanche, se retournait sur son sillage,

ravie d'y découvrir un garçon furtif, travaillait
mal, sabotait sa rhéto. A la maison elle commençait à flûter haut, cherchait à prendre le pas
sur Laure, à qui toutefois elle laissait très volontiers l'ouvrage, y compris le soin de laver son
linge. Qu'elle fût moins chatte et s'écartât un
peu de son père pour rechercher les complicités
féminines nécessaires à ses dix-sept ans, j'y sous-
crivais. Mais sa grand-mère et sa tante n'en béné-
ficiaient pas. Louise leur préférait la petite
Lebleye et d'autres bécasses, étroitement empan-
talonnées, qui l'accompagnaient parfois jusqu'à
la grille :

« Ton vieux te fait habiter au diable! criait
l'une.

— Z'yeutez la crèche! » criait l'autre perchée
sur un vélo d'homme et pédalant, les genoux
écartés, pour emmener plus loin une troisième
copine assise sur le cadre.

Et Louise rentrait, suivie par des cheveux
rebelles, pour nous piquer vaguement du bec et
se précipiter sur le tourne-disques.

Michel. Lui aussi faisait l'apprentissage de
l'insolence. Mais négligente chez Louise, entre-
coupée de sursauts, de frétillements qui la ren-

daient candide, l'insolence chez Michel s'entourait de garanties, devenait le mordant du raisonnable.

« La licence de maths, non alors, pour quoi
faire? Le professorat? Je n'ai pas envie de m'en-
croûter. Je ferai l'X. »

Il avait tout à fait fini de jouer. Au labo, il ne
faisait plus que des « expériences ». A Charlemagne, il caracolait de plus belle, cavalier seul,
en tête du cours. Le cortège de Louise l'entourait
volontiers, au retour du lycée. Satisfait d'être
trouvé beau, musclé, intelligent, il se laissait
admirer par ces demoiselles, mais ne cachait pas
que, lui, il les trouvait idiotes. Point d'amis. A
peine tolérait-il un ou deux camarades, humbles
malins qui venaient quêter son infaillible solution du dernier problème; et un correspondant
londonien dont il épouillait l'anglais, avant de
lui répondre, en pur Oxford, quatre pages de sa
petite écriture ferme, aux *t* barrés très haut.

Bruno. Restait Bruno. Un garçon qui avait
trois ans de moins que son aîné, qui paraissait
petit auprès de lui. Pour l'imiter, il faisait son
grave, voire son bravache, creusait un peu sa
voix, brusquait sa sœur et, quelquefois, sa tante.

D'aventure, il osait même braver son auguste
frère.

Jamais son père. Non que je l'eusse appri-
voisé : peur, respect, affection, j'étais au milieu
du triangle. Bruno ne cherchait pas un accueil
spécial auprès de moi. Il n'y comptait, il n'y pensait en aucune façon. Encore isolé, moins isolant,
il laissait seulement passer le courant. Cela se
sentait sans doute. L'*r* de Bruno s'était si bien
adouci dans ma bouche qu'on me parlait de lui
sur le ton que j'employais moi-même. « Votre
benjamin », disait Mamette. Et Marie, qui l'appelait naguère « le petit bougre », disait plus
brièvement « le petit » ou « ton dernier » et
même, sur la pointe d'une dent, « ton précieux
Bruno ».

A noter : cet enfant n'essayait jamais d'intéresser mon orgueil. On connaît les classements
de lycée : *Félicitations, encouragement, inscrit,
non inscrit, refus, avertissement, blâme.* De fon-
dation, Michel était félicité; Louise, d'ordinaire
non inscrite. Après avoir frisé les trois blâmes
de l'exclusion, collectionné les avertissements,
Bruno remontait, sans éclat. Il fut encouragement, d'un air découragé. Il fut troisième et je
l'appris par Laure, car il n'était même pas venu
offrir son relevé à mon paraphe. Je lui en fis

doucement la remarque, à table, devant tout le monde.

« Pour une fois, il aurait pu le chanter! s'écria Michel.

— Ces notes-là, ça chante faux », dit Bruno, modeste, en triant la macédoine sur le bord de son assiette.

M. *Astin*. Triait aussi. Comme il commençait à avoir des ennuis avec sa ceinture, il ressuscitait un aphorisme cher à sa mère : *quand vient l'heure de s'habiller plus large, il nous reste à penser moins étroit.* Comme sa mère aussi, il admettait qu'il sentait le renfermé, qu'il se devait d'aérer les siens. Mais il est délicat pour un père de changer de régime, sans laisser entendre qu'il s'est trompé, qu'il peut encore le faire, surtout quand ses enfants, enhardis par les centimètres, évoluent au rythme accéléré, deviennent des interlocuteurs qui discutent · à plaisir parce que leur existence, pour s'affirmer, a besoin de bousculer la vôtre. A peine adoptées, pas encore adaptées, les concessions deviennent insuffisantes, caduques. On aménage de plus en plus vite; on aménage comme on déménage. Les violons sont sans cesse à réaccorder; la part d'im-

portance dévolue à chacun, le volume d'air, la
proportion de vin dans le verre, sans cesse à
reviser. Oui, tu peux aller voir ce film. Oui, tu
peux rentrer à neuf heures. A dix. A onze. Oui,
oui, oui. Le non s'amenuise, se déguise, prend
l'aspect d'une objection, dont il faut à force de
courtoisie balancer la fermeté. Méthode pédago-
gique, pour division des grands. M. Astin butait
devant trois tempéraments; et Mamette avait
raison, qui grognait :

« Prenez-les donc comme ils sont. On peut rai-
sonner Michel. On doit commander Louise. Et
amadouer Bruno... »

Pour compliquer les choses, j'étais une fois de
plus la proie de mes scrupules. Le grand aiguillage approchait, le temps des choix, décisif pour
de futures carrières. Qui n'a pas réussi sa vie n'a
que peu de conseils et pas d'exemple à donner.
Trop heureux de s'être reproduit, ne doit-il pas
avoir la pudeur de ne pas chercher à se repro-
duire encore, en rendant ses enfants semblables
à lui? Ne doit-il par leur refuser la tentation —
même pieuse — du proverbe : tel père, tel fils?
Mais comment leur servir de repoussoir, sans y
perdre l'autorité?

Mes idées mêmes, que valaient-elles, à l'usage
des miens? J'estime exorbitant le droit des

parents à la transmission de ces vérités qui, de
l'autre côté du mur, pour le foyer voisin, sont
d'horribles erreurs. Incroyant — comme tous les
Astin, adeptes, toutefois, d'une fort raide « morale de concurrence » — je me serais cru ridicule
de prêcher chez moi l'incroyance. Je ne voyais
pas d'obstacles à ce que Laure, catholique de
routine, se souvînt une fois par semaine de
convictions héritées et se fît, d'occasion, accompagner par Louise à la messe. Je n'avais jamais
demandé, mais je n'interdisais pas aux garçons
de les suivre. Pour moi, la religion, c'est d'abord
une certaine alimentation de l'esprit. On est ce
qu'on naît, on mange un certain pain, on s'y
habitue, on n'en veut plus d'autre; la piété filiale
s'en mêle, avec le goût des pompes, des explications simples, des assurances-survie; l'apologé-
tique est censée faire le reste. Je n'étais pas fâché,
au fond, que l'abstention de mes fils leur écono-
misât une formation que je tenais pour une
déformation; et pourtant j'hésitais, je n'étais pas
sûr d'avoir raison. La main du pianiste se travaille dès six ans. L'enseignement, lui aussi, n'est
qu'une longue forcerie, où il faut bien se passer
du consentement de l'élève. Pour ne pas disposer
de l'esprit de mes enfants, n'allais-je pas les
priver d'une connaissance, leur engourdir un

sens et par omission leur imposer mes propres conceptions?

Attitude générale que j'étendais à bien d'autres domaines. Aux questions de toute nature, dont je ne manquais pas d'être accablé, je répondais de préférence par des citations : *un tel dit ceci, un tel dit cela.* J'ai mes idées, certes, je n'en ai pas honte, je m'y accroche même fort bien, mais c'est un hameçon où j'entends mordre seul. Je n'aime pas opiner : réserve qui m'est naturelle et que du haut de ses chaires l'Université recommande en faisant distribuer la compo : *Ne vous aventurez pas, Mesdemoiselles et Messieurs. Pas de gloses personnelles. Songez que la question a été fouillée avant vous par les plus grands. Prière de vous en tenir à la méthode des auteurs comparés.* Je continuais, à Villemomble. Mais à domicile, les enfants me réclamaient des raisons, non des comparaisons. Ils finissaient toujours par dire, agacés : « Et toi, qu'en penses-tu? » J'opinais alors, faiblement. Puis je bousculais, soudain, M. Astin : « Et vous, qu'en pensez-vous? » Ils restaient cois, étonnés, comme d'un honneur insolite. Même Michel. Et je songeais affolé : « C'est là qu'avant tout il faut changer de style. Tête bourrée n'est pas tête formée. »

Grande décision, petits effets. En fait de style.

je m'en pris d'abord aux meubles. Le vivoir fut
refait, puis les chambres — sauf la mienne.
Louise obtint du be-bop, les garçons du chêne
clair. Enfin, j'achetai une 4 CV, que Michel
considéra d'un œil critique, en regrettant que
je n'eusse pas choisi au moins une Simca, pour
éviter de nous y tasser.

Marie, enfin. Je termine par elle, comme s'il
s'agissait d'un hors-texte. Elle était cela dans ma
vie, après tout : une chaleur extérieure pour
tous, pour moi seul intérieure. Elle m'attendait
toujours, discrète, agacée, accueillante. Elle
m'écoutait, se laissant dire que tout allait mieux,
que bientôt, dans six mois, dans trois mois ou
peut-être après les examens, pour ne troubler
personne, je pourrais imposer ma décision. Elle
murmurait : « Tu crois? » si elle était de bonne
humeur, ou « Vraiment! » si elle ne l'était pas.
Je ne m'étais, en fait, pas plus avancé. Une seule
fois, au cours d'une de ces promenades-entretiens
que j'essayais d'avoir avec mes enfants et où je
n'entraînais guère que Bruno, j'avais, longeant
la Marne, fait allusion à un remariage éventuel :
   « Ta grand-mère désirait que j'épouse Laure.
Ta tante a toutes les qualités, elle s'occupe déjà

de la maison. Mais je ne te cache pas que j'ai longtemps pensé à Mlle Germin, que j'y pense encore.

— Je sais », avait répondu Bruno, retenant son souffle.

Pour ajouter négligemment :

« Si tu y penses depuis si longtemps, tu ne dois pas y penser très fort. »

J'en étais resté là.

« Ton précieux Bruno n'a peut-être pas tort », avait dit Marie, à qui j'avais rapporté, un peu légèrement, le propos. Seules, en effet, mes visites se rapprochaient. Cela semblait suffire et, chaque fois, je m'en félicitais, en feignant d'ignorer que les très vieux espoirs sont le décor de la résignation et les attentes interminables l'excuse de ceux qui — sauf miracle — n'attendront jamais qu'eux-mêmes.

VII

A DÉFAUT de miracle, il peut se produire des surprises.

Nous sommes le 31 mars ou le 1er avril. Ma montre, que je consulte enfin, annonce minuit moins deux; le réveil, sur l'étagère, minuit trois. M. Astin se règle sur l'horloge parlante de la T. S. F. chaque matin, mais il est normal que ce soit moi qui retarde. J'ai même l'impression de retarder de dix-huit ans. Une giboulée nocturne claque aux fenêtres, dont les volets n'ont pas été tirés. Marie est assise dans son lit : une autre Marie que je ne connais pas, qui n'est pas ma digne collègue, fidèle à sa serviette, à son chapeau, mais une femme décoiffée, dépoudrée, attendrissante, aux épaules plus rondes que je ne l'espérais et barrées par les bretelles de la chemise de jour rose, dont les empiècements de dentelle mécanique, couleur thé, laissent transpa-

raître la pointe des seins. Le drap recouvre le
reste.

« Je rêve ou quoi? dit Marie.

— Je crois que nous avons cessé de rêver justement! » répond M. Astin, qui se reculotte, en
tournant le dos.

Marie s'étire, pour se donner une contenance.
Je la devine partagée, comme moi, entre la stupéfaction, la joie, l'inquiétude, la gêne et cette
espèce de gentillesse vexée qui, dans l'après-
bêtise, sale et sucre en même temps la salive.
Pour l'instant, ce n'est pas d'être quasiment nue
qui l'incommode. Elle se rajuste d'abord un
visage. Avouons-le, son cas n'est pas facile. Les
mièvreries, l'œil langoureux du relevons-nous lui
sont interdits : si elle peut encore être coupable,
une virginité de quarante ans risque surtout la
faute de goût. Mais trop de calme en serait une
aussi grave, dénoncerait le calcul, le petit
enthousiasme, ramènerait la belle imprudence à
la dimension d'un écart de régime.

« Mon Dieu, ce que nous sommes bêtes!
reprend Marie.

— Ce que nous *avons été* bêtes! » rectifie
M. Astin.

Lui, pas moi. C'est vrai que j'aurais pu, depuis
longtemps, faire de Marie ma maîtresse : dès nos

retrouvailles, puisque j'étais veuf et même bien
avant, du temps de ma mère, pour lui forcer la
main. Mais ce n'était pas *cela* que je voulais faire
de Marie et ce qu'eût excusé notre jeunesse,
notre âge mûr l'excuse moins. Amant neuf qui
n'est qu'un vieil amant, c'est moi que j'ai voulu
forcer. Mais Marie continue :

« Je me disais aussi, dès que tu es arrivé : il
est drôle, il n'est pas comme les autres jours, il
ne m'accable pas de ses histoires. Est-ce qu'il
viendrait pour moi aujourd'hui? Tu tournais, tu
tournais, et puis soudain... »

Le geste qu'elle fait, pour s'abriter derrière
son coude et qui découvre la touffe sombre de
l'aisselle, a quelque chose d'un peu coquet. Mais
la voix est sincère, qui ajoute, poussant les mots
sous des lèvres pincées :

« Ça ne nous ressemble pas. Mais tu as voulu
te donner un argument et j'y ai consenti. Je veux
que tu saches bien que j'y ai consenti. J'en avais
assez, Daniel. Assez. Je ne t'ai rien dit, pour ne
pas faire pression sur toi, mais dans trois mois je
demandais mon changement. Je serais partie à
l'autre bout de la France pour ne plus te voir
jamais. »

Et plus bas :

« En fait de fleur bleue, il n'y a que le chardon

bleu qui se conserve. Les vieilles filles sentimen-
tales, comme moi, sont hérissées de principes.
Les miens souffrent, tu sais; ils crient même.
Pourtant c'est mieux ainsi. Un homme seul,
tenté par deux femmes et qui ne touche ni à
l'une ni à l'autre, la situation est ridicule, presque contre nature. »

Non, Marie. Non, j'ai été bien, j'ai été tien,
sans rien. Ni transi, ni moisi, ce vieil amour : je
le voulais choisi. Quoi qu'on en dise, sans manquer de tempérament, un homme autant qu'une
femme (mais les femmes ne s'en doutent pas,
parce que trop d'hommes leur aboient le contraire) peut aisément rester chaste. La chasteté
est même plus facile que la tempérance, dans
une société qui glorifie le verre et suspecte le
drap. Je n'aime pas cette remarque. A deux ou
trois aventures près (dix mille francs l'heure,
alors que je fais, moi, payer 800 francs la leçon
particulière : le péché a aussi le tort ou l'avantage de valoir trop cher) mes sens, je les gou-
vernais bien : c'était une de mes rares fiertés.
Elle aussi souffre aujourd'hui; elle aussi crie.

« Daniel, murmure Marie, alarmée, tu t'en
veux ou, déjà, tu as peur. Il s'est passé quelque
chose, chez toi?

— Non, ma chérie. »

Dénégation molle. *Chérie* par bonheur arrange tout : un mot que je n'avais pas prononcé depuis la mobilisation et dont j'ai toujours été économe. Sans cesser de me reboutonner, soigneusement, je me retourne, pour sourire. Je ne peux pas gâcher ce moment, cette confiante abdication, ce regard vert. Je m'en veux, c'est vrai. « Nous autres, qui ne sommes point des vautours de morale, disait ma mère, nous avons de la rigueur, sans y chercher de mérite et sa gratuité même la hausse d'un degré. » Ma rigueur est en baisse. Mais je m'en veux moins pour ce que j'ai fait que pour ce qui m'y a poussé.

Cela s'est passé si vite, si sottement. Ayant trouvé au lit mon élève du samedi soir, bouffi de varicelle, je revenais, par le quai Prévôt, avec une répétition sur le cœur. En pareil cas, l'hiver, je file au chaud; l'été, je flâne. Je lorgne les lanceurs qui, au nom du brochet de onze livres dont ils parlent tous, moulinent, s'accrochent, distribuent aux herbes leurs cuillers. Je recense les amoureux : les debout, les assis, les presque couchés, qui prennent pour écran les arbres, les buissons ou, simplement, leur énorme indifférence du témoin. Fin mars, évidemment, la berge en regorgeait. Je me disais : « Nous en avons déjà des trentaines. Si ça continue, nos futurs collègues auront des classes de cinquante », quand un chandail rouge m'a brûlé les yeux.

Nulle erreur possible, c'était le chandail de Louise, avec ma fille dedans. Avec ma fille gratifiée d'une permission de cinéma et que serrait de près un gaillard en blue jean d'identité floue : un cousin, je crois, de la petite Lebleye qui était justement censée accompagner Louise. Mon premier réflexe a été de m'avancer, sur mes semelles de crêpe, pour vérification et intervention. Mais les deux têtes se rapprochaient, avec cette gentillesse novice qui donne aux deux nez l'air d'être mal aimantés. Le bec à bec m'a paru improbable, mais possible. Quitte à fulminer ensuite, je ne me suis pas senti le courage de crier stop, d'épouvanter ces benêts, de leur laisser le souvenir d'un premier duo lourdement interrompu par la justice familiale. Je n'ai pas voulu non plus, moi, le père, en être le voyeur. Comme je repartais, d'une brusque enjambée, une brindille a craqué sous mon pied. J'ai entendu une exclamation étouffée. puis une voix sourde qui disait : « Ton vieux, tu crois, il nous a vus? » Mais je courais déjà. Crier stop... Pourquoi, à qui, à quoi? Au

temps? A cette génération qui, soudain, me repoussait dans *l'autre*, qui me soufflait une place,
un rôle que je pouvais, que je devais encore
tenir? Louise embrassée quand Marie ne l'était
pas! Je courais pour rattraper le temps.

J'ai couru jusqu'à Villemomble, prenant seulement la précaution de téléphoner. Laure était
au mair. C'est Bruno qui m'a répondu.

« Dis à ta tante que je ne serai pas là pour
dîner, que je rentrerai probablement très tard.

— Tu découches? a fait Bruno, gouailleur.

— J'ai une réunion. »

Et je suis entré chez Marie.

· Maintenant, il faut aviser. *Aviser,* sous-marque
de la décision, mise en ordre du fait accompli, sa
conséquence : voilà un verbe à ma hauteur. Mes
souhaits sont devenus des obligations. Marie le
sait bien. Elle vient d'enfiler une immense chemise de nuit fermée par une coulisse dont le
ruban fait chou et lui donne l'air d'une trop
grande petite fille. Elle me devine, elle me devance. Elle dit, sérieuse :

« Bien entendu, Daniel, tu restes libre. Tu
ne me dois rien. On ne compromet pas une
demoiselle de quarante ans. »

Puis, futée (ça lui va mal) :

« Tu as seulement pris une option. »

Et de nouveau sérieuse en regardant le réveil :

« Disons : une option de six mois. Tu me comprends, Daniel : si je ne deviens pas ta femme, je ne resterai pas ta maîtresse... Une heure! Il vaudrait mieux que tu rentres. Je te garderais trop volontiers. Mais nous ne pouvons pas nous déconsidérer auprès des tiens. L'argument, dont je parlais à l'instant, n'est pas valable pour eux. Au contraire...

— Comme tu voudras... »

Les mots ne me sortent pas de la bouche. J'ai un peu compté sur cette absence que chaque minute, en effet, rend plus éloquente; et puis cette nuit tronquée, ce sera une nuit manquée dont mes souvenirs regretteront la hâte. Assis au bord du lit, je la regarde, la compagne rêvée dont je n'ai fait qu'une complice. Elle m'observe aussi; ses pattes d'oie rayonnent, ses sourcils se hérissent un peu, attentifs comme des antennes. Elle est là, douce, mais décidée, raisonnablement tendre, ne faisant point de romance, sachant tout de moi, me prenant, m'aimant comme je suis, échangeant une jambe trop longue contre une volonté trop courte et je songe à ma mère et je me demande comment ma mère n'a pas compris,

jadis, à quel point celle-ci l'eût mieux remplacée
que toute autre.

« Bonsoir, Marie.

— Bonsoir, Daniel. »

On n'est pas plus simplet, malgré le jour.
Baiser. Marie fait très vite :

« Fais pour le mieux. J'ai confiance en toi. »

Qui assure autrui de sa confiance l'encourage
surtout à la mériter. Re-baiser, au coin de l'œil.

Le vieil enfant s'en va, dont on a peut-être
souhaité que pour une fois il ne soit point obéis-
sant. Quarante-huit marches à descendre. Dans
la rue, je me retourne, je renverse la tête pour
apercevoir, au deuxième étage, cette fenêtre que
teinte, faiblement, la lueur jaune d'une veilleuse
filtrée par le rideau. Le rideau bouge un peu, je
crois. Allons, il faut rentrer. Il faut même
prendre un taxi, à tarif double, car il n'y a plus
de train ni d'autobus, j'aurais dû y penser. Et
à la gare il n'y a en station — et c'est encore une
chance — qu'un très ancien G 7 dont le chauffeur, hélé, se réveille en sursaut.

« Vous me descendrez au pont de Gournay. »

Si je me faisais conduire jusqu'à la maison,
Mamette qui dort peu aurait vite fait de noter
l'heure. Je continuerai à pied, par le quai, dont
je suis parti hier soir. Sous les piles du pont la

Marne bruisse, où se reflètent les globes des lampadaires, ronds comme des œufs et qui semblent pocher dans de petits bouillons d'eau noire. Plus loin la nuit s'empare des toits, des grilles, des arbres, signalés de loin en loin par de simples ampoules dont la moitié ont été crevées à la fronde par les apprentis-blousons que Bruno fréquentait naguère. Bruno! Il doit dormir, le menton et les paupières serrés; et Michel aussi, bien à plat dans son lit, appliqué jusque dans le sommeil; et Louise, ma fautive, parmi ses cheveux très fins qui lui chatouillent le nez. Ils dorment, oui, tous trois sur leurs deux oreilles. Comment après tant d'attente pourrai-je leur faire admettre tant de précipitation? *Je me marie, avec Marie, vlan! J'ai décidé ça, mes enfants.* Impensable. Ils en ont vingt fois entendu parler, à mots couverts. Mais à force de l'avoir été, le possible ne l'est plus; il est entré dans l'improbable. *Si tu y penses depuis si longtemps, tu ne dois pas y penser très fort.* Bruno se trompait ou voulait se tromper. La vérité, c'est que j'ai craint depuis toujours de rendre aiguë la rivalité de mes « attachements ». S'ils se balancent, je n'en ai pas fini. Reste à les accorder : mais la chance en est mince.

VIII

SURPRISE, puis crise : c'était fatal. Se mettre au pied du mur n'arrange rien, quand on ne sait pas comment s'y prendre pour l'escalader. De plus près on le voit tout hérissé de tessons. A faire le magister, durant vingt ans, j'ai appris à faire un cours, à dire des choses exactes, avec des mots triés. Au bas de la chaire, je ne trouve plus d'autorité pour faire face aux entretiens de la vie courante, je ne sais plus parler; à plus forte raison dans les situations exceptionnelles.

La semaine fut pénible. Le dimanche matin, au petit déjeuner, je trouvai devant moi trois visages de bonne humeur, trois sourires courants dont je songeais aussitôt que je n'allais pas manquer de les éteindre. Le quatrième, celui de Louise, était un peu crispé. On ne me posa pas de questions; on ne me demanda même pas à quelle sorte de réunion j'étais allé et l'honorable

père ne s'en crut pas honoré : il y a des gens qui
sont vraiment au-dessus de tout soupçon; et
d'autres, réputés tels — et les plus nombreux
— qui en réalité sont *au-dessous* de tout soupçon,
incapables de les mériter. Louise fit seulement,
pour meubler son inquiétude : ·

« Je ne t'ai pas entendu rentrer. »

Je répondis :

« Ton cinéma, c'était quoi? »

Marmonnant un titre, elle piqua le nez dans
son bol d'Ovomaltine. Lourd d'indulgence mon
regard s'attarda sur cette poitrine, ces hanches
de petite femme qui gonflaient chandail et blue
jean. Au sortir de cette nuit, je ne me sentais
pas le courage et à peine le droit de lui faire
des reproches. Il fallait pourtant. J'attendis une
heure, puis une autre. Laure était à la messe, les
garçons dans leur chambre, je rejoignis ma fille
dans la sienne, où elle passait une robe en prévision de l'inévitable déjeuner dominical chez sa
grand-mère, ennemie du pantalon.

« Deux mots à te dire, fis-je, pour tout préambule. Qui est ce garçon avec qui tu étais, hier
soir, au bord de la Marne?

— Ce garçon... », répéta Louise, hésitant à
nier, mais nullement démontée.

Elle m'observait du coin de l'œil, finaude,

pour voir si j'étais vraiment très en colère; elle tirait sur sa robe, feignait de s'intéresser aux pressions de la fermeture qui craquaient, délicatement, comme des puces écrasées, entre deux bouts de doigts aux ongles vernis. « Sa mère », pensai-je soudain, hargneux et attendri, en reprenant :

« Je t'ai vue, par hasard. Je n'ai pas voulu faire d'esclandre dans la rue. Je n'ai pas voulu en faire ici. Mais tu vas m'expliquer... »

Expliquer quoi? Comment à dix-sept ans les coquettes se prouvent que, justement, elles ont dix-sept ans?

« Nous ne faisions pas de mal », dit Louise, piteuse.

Où commençait-il le mal, pour elle? A la cession d'un excès de rouge, à l'intervention des mains, aux premiers ou aux derniers outrages? Elle n'avait sans doute pas été embrassée; seulement un peu encensée d'haleine, émoustillée de regards. Nous n'étions plus au temps de Mamette dont la verte morale aime les vertes formules et qui proclame : « Rien, c'est rien. Une pucelle ne fait pas le détail. » Louise ferait le détail, c'était probable, comme toute cette génération que la nôtre juge sèchement et dont elle est pourtant responsable. Je grognai :

« Qui est-ce?

— André Rouy, un copain. Il est en rhéto, avec Michel.

— Alors ne vous cachez pas. Je ne t'interdis pas d'avoir des amis. Je ne veux pas te rencontrer avec eux dans les coins. »

Louise releva la tête, visiblement ravie d'en être quitte à bon compte et le père moderne, compréhensif, sachant faire la part du feu, redescendit l'escalier, en rougissant. A la vérité ce n'était pas le moment de me mettre ma fille à dos. Une seconde, j'avais même failli enchaîner : « A propos, je voulais aussi t'annoncer que je vais épouser Mlle Germin », j'avais failli échanger mansuétude pour mansuétude. Un père moderne! J'en faisais un beau, moi qui, récusant les tabous, conservais la pruderie farouche des marguilliers qui furent nos grands-pères et tremblais à l'idée d'ouvrir la bouche pour avertir mes enfants et remplacer chez eux la vieille peur, mêlée à la vieille curiosité de « ces choses », par cette bonne franchise familiale qui est la seule véritable éducation sexuelle. En fait de précautions, Laure — une jeune fille! — était censée y avoir pourvu pour Louise, lorsque la petite avait été réglée, à une date que je n'aurais su préciser, faute d'en avoir été instruit

et de m'en être préoccupé. A Michel j'avais
donné *Ce qu'un jeune homme doit savoir* pour
ses quinze ans. Il l'avait rangé entre deux dic-
tionnaires et j'espérais que Bruno l'y avait dé-
niché. C'était tout. Je laissais le reste à leur
innocence, bon Joseph distribuant ses lis, géni-
teur décidé à oublier que ses garçons ont aussi
des génitoires et s'imaginant vaguement qu'ils
font une puberté de marbre, qu'ils n'ont rien à
confier à la discrétion de leurs mouchoirs.

Je ressassais ces choses, avec ennui — et parce
que ma faute, en somme, me les faisait voir sous
un autre jour — quand mes enfants me rejoi-
gnirent dans le vivoir. Louise avait un petit air
contrit, une gentillesse de chatte qui a chapardé
l'escalope. Nous passâmes au mair, pour y
trouver une Mamette rare : châtaigne pour une
fois sans bogue. Laure fut presque gaie, Michel
aimable, Bruno bavard. Un fait exprès! Une
conjuration que je renforçais en débordant d'attentions pour tout le monde, en faisant le joli
cœur avec une hypocrisie de dentiste qui va vous
arracher une dent. Le soir vint, inutile : puis la
nuit, le lundi, le lycée, le chapeau, la serviette
de Marie, qui m'attendait à la porte.

« Alors, fit-elle, ça ne s'est pas trop mal
passé? »

Je l'embrassai devant trois élèves qui traînaient leur cartable. Petite compensation : il était plus facile de m'afficher à Villemomble qu'à Chelles. Puis j'avouai :

« Je n'ai pas voulu gâcher leur dimanche.

— Tu as préféré gâcher le mien. On ne peut pas épargner tout le monde », dit Marie, piquée.

Le soir même j'essayai de me jeter à l'eau. Au dîner (j'use, j'abuse des *cènes* de famille. Bon gré, mal gré, vos gens sont réunis, la fourchette vous donne une contenance et les bouchées meublent les silences)... Au dîner, j'annonçai, faisant mon sérieux :

« A propos, j'ai quelque chose d'important à vous dire... »

A propos : locution adverbiale des gênés pour servir à propos de rien de méchantes nouvelles. Quatre paires d'oreilles, habituées, traduisirent : « Attention, j'ai quelque chose de pénible à vous dire. » Quatre paires d'yeux se braquèrent sur moi. Ceux de Bruno, gris de granit et où s'allument, quand il s'excite, comme des parcelles de mica, me parurent insoutenables. Incapable d'aller plus loin, j'inventai, tout à trac, n'importe quoi :

« Au lieu de l'éternel Anetz, que j'aime bien,

remarquez, nous pourrions peut-être, cette année, aller à la mer.

— Quelle idée! fit Laure. Ça coûtera au moins cent mille francs.

— Ah! non, chouette, dit Louise, moi j'aimerais Le Pouliguen. »

Balle manquée, en plein filet. Le mardi, le mercredi passèrent. Je m'arrangeais pour éviter Marie, en arrivant avec cinq minutes de retard au lycée, en repartant avec cinq minutes d'avance. Je rêvais de l'intervention d'un tiers; mais en dehors de mon cousin Rodolphe, que je n'osais entreprendre, je ne connaissais personne qui fût susceptible de tenter une démarche auprès de ma belle-mère. Les tentations les plus saugrenues, les plus déshonorantes, m'assaillirent. Une lettre anonyme aurait pu créer l'incident : *Madame, votre gendre s'apprête à convoler. Défendez donc votre fille.* Mme Hombourg pouvait réagir, mais elle pouvait aussi brûler la lettre. Une visite directe valait mieux.

Rassemblant mon courage, je réussis, le jeudi matin, à franchir sa porte. Bien entendu, comme je n'allais jamais la voir seul, Mamette fut aussitôt sur ses gardes et sembla prendre un malin plaisir à déjouer les astuces que j'avais imaginées pour mener à bon port la conversation. Au bout

d'une heure nous voguions toujours dans les bali-
vernes et la salive commençait à me manquer,
tandis que ma belle-mère postillonnait à merveille. Enfin elle me fit grâce et, contre toute
attente, consentit même à me tendre la perche :

« Bon, cessons de chipoter les hors-d'œuvre et
passons au rôti. Vous avez l'os en travers de la
gorge, mon ami, ça se voit. Toussez un peu et
confiez-moi ce désagrément. »

Je toussai, ce qui me valut un éclat de rire
fêlé et l'offre d'un bonbon. Mais la phrase
partit :

« Vous m'avez souvent conseillé de me remarier...

— Moi? » fit Mme Hombourg, candide.

Dans sa bouche entrouverte, la langue se mit à
tourner : on se consultait. Mais craignant de ma
part quelque irréparable gaffe, Mamette ne prit
point le temps de la tourner sept fois. Elle se
réfugia vivement dans la bonne foi.

« Il est vrai que je vous aime bien et que je
vous aurais volontiers donné ma petite Laure. »

Pause d'une fraction de seconde :

« Mais vous venez me dire, n'est-ce pas, que
ce n'est pas possible et que, dans ces conditions,
vous estimez ne plus pouvoir la garder? »

Je hochai la tête. Elle hocha la tête à son tour,

toute bonne, compréhensive, affligée. Mais hop, la vérité dépouillée, elle en jetait la peau. Elle disait, avec rondeur :

« Mais non, gardez-la donc, allez! N'ayez pas de faux scrupules. Elle a compris. Elle a Michel, Louise et Bruno, c'est déjà beaucoup. Elle n'a peut-être pas choisi la meilleure part, en son temps; mais cette part-là lui suffit et elle ne lui sera point ôtée. Je vous connais, Daniel, vous êtes un bon père. Vous avez pensé un moment, je sais, à épouser Mlle Germin, cette collègue infirme dont votre mère n'avait pas voulu. Je sais aussi pourquoi vous avez renoncé : fût-elle adoptive, on n'enlève pas une mère à ses enfants. »

J'étais cloué. J'avais envie de saluer. Par précaution, du reste, Mamette rompait les chiens :

« Ne vous mettez pas martel en tête : il y a des problèmes plus sérieux. Puisque vous voici, parlons un peu de Louise. Je n'aime pas la voir, comme ça, rentrer tous les soirs entourée de petits miauleurs. Je m'inquiète sans doute à tort, mais les cajoleuses, l'âge venu, donnent souvent des frôleuses. Avec ce genre de filles on ne sait jamais : ça joue encore, la veille, à chat perché; le lendemain ça joue à chat couché. »

Je la quittai, si démonté, que sur-le-champ je

pris le seul parti convenable : je filai à Villemomble avouer mon impuissance à Marie qui
m'attendait depuis trois jours. Elle ne le fit pas
remarquer, mais ne me manqua pas :

« La vigilante Mamette, la silencieuse Laure,
l'orgueilleux Michel, la trop jolie Louise et l'om-
brageux Bruno, s'écria-t-elle, ça fait un tout,
serré comme un chou. Tu ménages le chou. Moi,
je suis l'horrible chèvre qui pourrait dévorer le
chou : tu la ménages moins. Te voir à ce point
esclave des tiens me rend folle. J'aime mes
parents, mais je ne raterais pas ma vie pour
eux. »

L'aigreur me gagnait moi aussi. J'eus envie
de répliquer : « Tu en parles à ton aise. Tu n'as
qu'une famille *reçue*. A celle-là on peut, au
besoin, s'opposer, la naissance ne constituant
point un engagement. A la famille que l'on a
créée, c'est autre chose! Nous lui devons exactement ce que Dieu, s'il existe, nous doit pour
nous avoir obligés à être. » Mais comme tant
d'autres, la réplique me resta pour compte. Je
me contentai de plaider :

« Essaie de comprendre! Nous serons bien
avancés si nous commençons par mettre la maison sens dessus dessous. Je ne vois qu'une solution : une présence progressive. Viens tous les

jeudis, par exemple. Ensuite tu viendras deux ou trois fois par semaine.

— J'y pensais, dit Marie, mais je ne voulais pas avoir l'air de m'imposer. »

Rassurée — il lui en fallait trop peu pour qu'elle fût vraiment forte — elle me garda jusqu'au soir. Quand je rentrai, soulagé moi-même par la perspective d'une semaine de répit où nous n'aurions, ni Marie ni moi, la salive amère, le couvert était mis. On m'attendait sans impatience. Laure était debout, très droite, dans le coin sombre qu'elle affectionne, au bout du vivoir et cette statue, pour ne rien perdre d'un temps qu'elle perdait depuis des années, tricotait, tricotait, en ne laissant bouger que ses doigts. Elle sourit. Louise vint me becqueter les pommettes. Il y avait de l'amitié dans l'air. Je surpris seulement le coup d'œil de Bruno, louchant vers le carillon.

La première visite de Marie se passa bien. Depuis des mois elle n'avait pas mis les pieds à la maison et cette absence avait sans doute été interprétée comme une renonciation. Son retour pouvait aussi la confirmer : « Nos intentions sont si bien oubliées que toute précaution devient

inutile. Maintenant, nous pouvons être amis. »
Laure se mit en frais : d'un canard et de quelques amabilités. Mamette dans son fauteuil, au
mair, Michel indifférent, Louise tournant de la
jupe, nous fûmes simplement environnés de
réserve et obligés de surveiller nos phrases.
Bruno, seul, encore une fois, me sembla réti-
cent : il écoutait à peine et surveillait mes yeux.
« Comme il tient à Laure! L'affection le rend
plus perspicace que les autres », pensai-je avec
une pointe d'envie. Quant à Marie, elle paraissait presque étonnée :

« Tes fauves ne sont pas si féroces! » me souffla-t-elle en partant.

La seconde visite, trop rapprochée de la première pour signifier encore une installation dans
l'amitié, allait la faire déchanter. On fut convenable, mais tout juste. La cause était jugée cette
fois : retour de flamme. Les « Bonjour, mademoiselle » plombèrent tout de suite la conversation
et Marie dut s'avancer dans un enchevêtrement
de regards entendus. Arrivée à trois heures, elle
ne se vit rien offrir et je dus fouiller moi-même
le placard pour y dénicher une bouteille de
porto, tandis que Laure, avec une respectueuse
autorité de servante épousée par son maître, nous
laissait le champ libre en s'excusant d'avoir à

préparer le pot-au-feu. Louise la suivit, puis
Michel, armés d'un superbe prétexte : l'urgence
du bachotage, à dix semaines des examens. Bruno
tint plus longtemps, roulé en boule comme un
chien qu'on néglige. Il finit par s'en aller, à
regret, sur des talons traînants. Mais il revint
chercher un livre, il revint chercher un stylo et
chaque fois je pus déchiffrer son visage — qu'il
ne sut jamais composer. Enfin il renonça et nous
fûmes tout à fait seuls, en quarantaine :

« La Sainte-Alliance! » murmura Marie,
consternée.

C'était mieux que cela : une entente tacite,
immédiate, spontanée.

« En temps normal, fis-je à voix basse, leur
tante, ils la bousculent, ils l'ignorent, ils font
d'elle leur bonniche. Qu'ils la croient en danger
et ils font bloc.

— Tu les approuves, ma parole! dit Marie.

— Je ne peux pas leur reprocher d'avoir du
cœur.

— Excuse-moi », dit Marie, en rougissant.

Ses mains tremblaient. Elle continua, d'une
voix humble (et de cette humilité je m'en voulus
aussitôt) :

« Ils ont raison et nous n'avons pas tort. J'oublie toujours qu'épouser un veuf, c'est épouser

sa famille et qu'on ne l'a pas vraiment conquis,
lui, si on n'arrive pas à la conquérir, elle. Ça
sent la partie nulle : Laure et moi, nous n'avons
chacune que la moitié des atouts. Pardonne-moi
aussi ce découragement. Il faut te rendre justice : depuis des années tu piétines, mais toi, au
moins, tu ne t'es jamais découragé. »

Elle se regantait déjà. Elle paraissait vieillie
et, surtout, hors de son cadre. Peut-être ne
m'étais-je point découragé parce qu'elle m'offrait
à Villemomble un peu d'autre vie : une sorte de
vaccin contre le désir de fuir la mienne. Peut-
être son pouvoir s'arrêtait-il là. Elle était ma
maîtresse et je me sentais maintenant des obligations envers elle. Des obligations : comme j'en
avais envers Michel, Louise, Bruno, Laure, Mamette, mes élèves, étagées par ordre d'importance et les unes primant inéluctablement sur
celles-là.

« Ma pauvre Marie, murmurai-je, nous
n'avons pas eu de chance. »

Qui ne sait point la forcer à temps n'en a
jamais. J'avançai la main pour saisir ce poignet
où luisait, entre le gant et la manche, un mince
anneau d'argent terni. Mais je la retirai très vite,
en reconnaissant derrière la porte vitrée la cravate à pois, le menton dur, l'œil gris de Bruno.

L'inquiétude n'y aurait pas suffi; la jalousie
seule pouvait lui allumer ce regard. La jalousie!
Une joie glacée m'envahit.

« Tiens bon! La question est posée, au
moins », dit Marie qui se reprenait.

La question était posée en effet, l'atmosphère
créée, comme je l'avais voulu; et maintenant
j'avais peur. J'appelai mes enfants pour dire au
revoir. La politesse les contraignit à sortir ces
deux mots, dont chacun semblait leur coûter une
dent. Mais je fus seul sur le gravier crissant de
la cour à raccompagner Marie, à exposer ma
confusion devant Mamette qui, embusquée à son
observatoire, écartait ostensiblement le pot
d'herbe-aux-chats et saluait du bout du menton
en pinçant un sourire qui disait tout sur l'intri-
gante et son benêt. En revenant, je dus passer en
revue tout le monde, silencieux, s'efforçant de
cacher sa réprobation, mais enfoncé comme les
foules de 40, après l'alerte, dans le genre ayez-
pitié-de-nous. Je passai, étouffant de gêne, fouil-
lant ma poche pour en extirper un mouchoir
inutile.

« On a raté France-Yougoslavie », dit enfin
Michel, lugubre et tourné vers sa tante qui ne
bougeait pas, impénétrable, enchâssée dans son
tablier.

Bruno glissa vers la télé :

« On aura peut-être la fin de la seconde mi-temps, fit-il. Ça ne t'ennuie pas, dis, Papa? »

L'hostilité l'enveloppa comme si, en m'adressant la parole, il venait de se désolidariser du reste de la famille. Je fis non de la tête et Bruno s'assit près de moi. L'anxiété se lisait toujours sur son visage, mais une anxiété maladive, amicale, autrement efficace que la raideur de Michel, la moue de Louise, une anxiété qui me remuait comme elle le remuait lui-même, au plus creux. Les rideaux furent tirés, le Stade de Colombes apparut juste au moment où les avants yougoslaves marquaient un but et Bruno ne cria pas, comme d'ordinaire : « Ça y est. » Il s'agitait sur sa chaise, il sifflotait, tss, tss, entre ses dents. Il se penchait de côté, comme pour renifler ma présence, s'assurer d'elle, m'entendre respirer le même air que lui. Il découvrait son mal, pour moi délicieux, mais non moins redoutable si bientôt il en pouvait aussi mesurer le pouvoir.

IX

Deux heures, j'attends dans le vivoir désert, en
corrigeant les dernières copies de l'année. Laure
apparaît, couronnée de bigoudis de plastique.
Elle demande :

« Vous avez les résultats?

— Non, Michel n'a pas téléphoné. »

Elle disparaît. Une couronne d'or sur la tête,
elle ne serait pas moins effrayée d'être la cause
de mes ennuis. Il faut le reconnaître : si quelqu'un se tient bien, c'est Laure. Depuis trois
mois elle s'excuserait presque d'exister, elle fuit
les messes basses où se complote sa défense, elle
se terre dans l'une ou l'autre cuisine. Elle exas-
père Louise qui puise dans les hebdos féminins
des idées définitives sur la condition de son sexe
et, le soutien-gorge en avant, crie à sa tante en
train d'astiquer le fourneau :

« Tu me fais mal! Cendrillon, ça ne paie
plus. »

Pense-t-elle, Laure, qu'à ma grisaille sa cendre finira un jour par convenir? On peut très bien, par calcul, s'offrir en holocauste, quand on sait que vos protecteurs interdiront le sacrifice. Il n'empêche que, trois minutes après une réflexion de Mamette sur l'insistance des laissées pour compte (Rodolphe, tardivement, vient d'en épouser une), Laure m'a bel et bien dit, très vite, entre deux portes :

« Ne faites pas cette tête-là, Daniel. Je tiens à ce que vous sachiez que je n'approuve pas Maman. Chacun est libre de ses sentiments. »

Je suis libre, certes, et il m'arrive de penser que j'essaie un peu trop de me le prouver, que si je tiens encore c'est en partie pour cette raison. Car l'avance est nulle, les dégâts importants. Revenue trois fois, Marie s'est lassée de faire le vide; et c'est moi qui, chaque semaine, vais désormais passer mon jeudi à Villemomble où m'attendent l'attendrissement et l'aigreur, alternés, au bord d'un lit que Marie ne me refuse pas, mais qui devient chaque jour un peu plus extraconjugal. Elle en souffre plus que moi, qui ne suis pas éloigné de trouver la résignation commode. Elle me rappelle chaque fois le délai accordé : « Six mois, Daniel, six mois. Je ne serai pas ton habitude. » Et renversant les rôles, per-

dant celui de la vieille et sûre confidente pour
jouer les esseulées, prise de cette rage de la réha-
bilitation par l'anneau qui est encore plus vive
chez les femmes d'un certain âge que chez les
jeunes filles (après tout pourvues d'autres
chances), elle y revient, elle me harcèle doucement, mais sans répit, sans habileté, sans soupçonner qu'elle m'use au lieu de me conforter. A
chaud, l'eau trempe le fer; à froid, elle le rouille.
Sur nos déterminations la salive a le même effet.

A Chelles, c'est pire. Une Mamette hargneu-
sement muette ou déchaînée dans l'allusion, lorgnant les boutons que me vaut souvent une barbe
difficile pour me lancer : « Cette nouvelle érup-
tion, ça s'apaise? » Une Laure désarmante comme
le poulet qu'on n'ose tuer. Un Michel de plus
en plus juché sur l'opinion qu'il a de moi. Une
Louise qui ne demande qu'à profiter de
l'exemple, qui s'affiche de plus belle avec le
petit Rouy et que je crois neutraliser en fermant
les yeux, en réputant sa coquetterie innocente.
Un Bruno consterné, dont il est déjà miraculeux
qu'il ne se soit pas rejeté en arrière, mais sur qui
je ne gagne rien et qui gagne sur moi, au
contraire, dans la mesure même où son intérêt
s'aiguise, où il surveille ce père qui s'était si fort
rapproché de lui et qu'il soupçonne de

s'éloigner, d'abandonner la partie dont il semble, du même coup, comprendre qu'il fut l'enjeu. Je ne dis rien des conciliabules. Je n'écoute pas aux portes, mais les portes sont minces. Le pronom détesté revient : « Il y est encore allé, hein? » J'ai même entendu mieux, dimanche, au mair. Michel disait : « Laure devrait partir pour un mois. Il verrait alors comme c'est facile de la remplacer! » Mamette a répondu, hésitante : « Oui, oui... Mais qui va à la chasse perd sa place. » Puis Laure s'est soutiré avec effort, comme du fond d'un puits, quelques mots qui m'ont paru de l'eau fraîche : « Non, il est libre et ce serait du chantage. » J'ai dû deviner le reste qui se perdait dans un cotonneux chuchotement : « Votre tante... trop bonne fille... Il faut en finir... »

Il faut en finir, c'est vrai. Je ne songe guère qu'à cela, cette vie n'est plus vivable. Il est quatre heures, maintenant, j'attends toujours. Ni Louise ni Michel n'ont téléphoné. Ni Louise ni Michel ne se sont précipités dans le vivoir. Ils sont pourtant arrivés : je les ai vus par la fenêtre qui entraient chez leur grand-mère. Cela doit faire partie de la conjuration : l'attention marquée à Mamette, c'est à moi qu'on la retire. Mais la grille s'ouvre. Coiffée cette fois (elle se coiffe à des heures impossibles; elle y pense quand elle n'a plus rien d'autre à faire et c'est le plus souvent l'après-midi), Laure retraverse la rue, sans précipitation. Le gravier ne crisse pas sous ses pantoufles, la porte ne grince pas sous sa main.

« Michel, mention bien, dit-elle. Voulez-vous venir? »

Economie de l'information. Traduisez : Louise a échoué, et Mme Hombourg convoque M. Astin, pour ne pas l'en féliciter. Remorqué par Laure, j'ai à peine traversé le jardin que les éclats de voix jaillissent de la fenêtre-observatoire, ricochent dans tout le quartier.

« Ce n'est vraiment pas la peine d'avoir un père professeur! crie Mamette — qui m'a tant reproché de l'être. Si on s'était sérieusement occupé d'elle, Louise les aurait, les cinq points qui lui manquent. Mais dans cette maison, la fille, le père, ça sort, ça file, c'est à qui courra le plus loin... »

Le ton baisse tout de même quand j'arrive.

« Beau résultat! grogne Mme Hombourg. S'il n'y avait pas Michel... »

Long hommage du regard à la mention bien.

Michel renifle cet encens, à quoi je n'ajouterai
qu'un petit grain :

« Oh! Michel, j'étais tranquille. »

Cela suffit. Il m'agace, Michel, à la droite de
Madame sa grand-mère : on dirait qu'il assure
mon intérim. Louise, à trois pas, se mordille un
ongle. Elle arbore une petite robe qui la rend
femme comme jamais, qui fait de ses dix-sept ans
une telle réussite que, de toute évidence, elle se
fiche éperdument de son petit échec, étranger à
l'avenir qu'elle pressent et où elle fera métier
d'être fille. Mamette y va d'une semonce, Mamette brasse une petite salade : à chacun selon
ses mérites, c'est bien fait, les jeunes filles d'aujourd'hui, n'est-ce pas, leur fichu cinéma et leurs
pantalons, voyons, sans compter ces godelureaux
sur les talons, on fume, on braille, on n'en fiche
pas une ramée et je ne dis rien de ces parents
qui ne disent rien. Mais c'est comme ça, mon
cher, que votre fille est recalée.

Louise écoute, l'ironie à fleur de lèvre. Mais
elle commence à en avoir assez, son cou vire, elle
cherche du coin de l'œil un allié, un libérateur.
Imprudence de l'ennemi, superbe occasion : pro-
fitons-en. Tandis que Mamette renverse la
vapeur et entonne le los de Michel, j'effleure le
coude de Louise, je murmure :

« Va, mon petit. »

Et nous dérivons, complices, père et fille comme jadis. Nous nous retrouvons dans le vestibule.

« Tu m'en veux? dit Louise, faisant la sucrée. Vois-tu, c'est l'anglais qui m'a fichue dedans.

— Anglais? Tu dois te tromper. Il est bien français. »

Louise rougit, autant que moi. Ce n'est pas joli, joli. Une fois déjà je m'y suis refusé, mais tant pis, je n'ai pas le choix : nous échangerons de l'indulgence. Louise en a grand besoin.

« Je ne t'en veux pas, ma chérie... »

Sourire, soupir, contrition conquérante : on relève une tête basse, dont le regard est vif comme une ablette et se fraie un passage dans un ruisseau de cheveux. Je peux ferrer :

« C'est plutôt toi qui sembles m'en vouloir, ces temps-ci. Pourtant il s'agit de choses autrement sérieuses... »

L'ironie reparaît sur les lèvres de Louise. C'est son premier réflexe dès qu'il est question d'affaires de cœur entre personnes de plus de vingt-cinq ans, ces vétustes, dont les affreux mamours déshonorent la carte du tendre, réservée aux explorateurs de sa génération. Puis l'ironie s'efface, fait place à la contrariété qui rapproche

deux sourcils épilés. Avec une désinvolture, une
inconscience toute féminine, elle rétorque :

« Justement, Papa, c'est sérieux! »

Elle se reprend d'ailleurs aussitôt :

« Je veux dire : c'est grave, ça bouscule tout,
pour nous tous. »

Il n'est plus question de Louise, qui s'est très
bien rendue compte du raccrochage et se rem-
brunit de plus en plus. J'aurai du mal à la
relancer :

« Mais enfin qu'avez-vous tous contre Marie?
Que lui reprochez-vous?

— Rien, bougonne Louise. Tu comprends
bien. Nous avons Laure, nous n'avons pas envie
d'une belle-mère. »

Et soudain, plus bas, plus vite, d'un air
excédé :

« Que tu la voies, je ne dis pas, c'est normal
après tout, tu es seul. Mais pourquoi l'épouser? »

Dois-je en croire mes oreilles? Ma fille, ma
petite fille, qui respire frais dans un chemisier
blanc, me laisse entendre que j'ai une maîtresse,
qu'elle n'en est point choquée, mais qu'elle le
serait fort si je n'étais pas assez raisonnable pour
m'en tenir là. Monsieur Astin, vous n'avez pas
une fille sur mesures, mais telle que les taille en
série sa génération. « Impure, non! disait le pro-

viseur, qui aime conférencer. Logique. Notre
morale de concurrence lui semble une autre
hypocrisie. Le mal, pour elle, c'est le nuisible. »
De mon indulgence, Louise n'a pas gros besoin
et, surtout, elle n'en fera pas troc. L'indulgence,
aussi, comme l'amour, doit lui sembler un apa-
nage de la jeunesse, à qui nous rabâchons au
nom de l'inexcusable nôtre qu'elle n'a pas
d'expérience.

« Ne t'inquiète pas. Je t'aime bien quand
même... »

Louise m'a vivement picoré la tempe et la
voilà qui s'envole, qui se défile. Elle est déjà chez
Mamette qui saura la récupérer.

Il faut pourtant en finir, la phrase me lancine.
Un pas en arrière, trois pas en avant : non,
laissons Michel. Comme j'ai essayé de profiter de
l'échec de Louise, je pourrais utiliser le succès
de son jumeau qui doit être, aujourd'hui, plus
accessible. Mais on ne le prend jamais sans vert,
il est diablement difficile à émouvoir et la seule
fois où j'ai réussi à l'amorcer, il s'est montré caté-
gorique :

« Moi, Papa, je te le dis franchement, je suis
contre. Un remariage, dans ton cas, c'est d'abord

un arrangement et celui-ci n'arrange personne,
sauf toi. »

Il a même ajouté :

« Et encore je crois que tu le regretterais. »

Le pire, c'est qu'il a raison. Marie elle-même
n'a-t-elle pas dit l'autre jour : « On ne peut pas
épargner tout le monde »? Elle aussi a raison :
c'est le plus sûr moyen de n'épargner personne.

Je suis sorti, je marche droit devant moi, ter-
riblement seul. Résumons-nous. Je suis le chef
de famille, je pourrais m'imposer, je pourrais
épouser discrètement Marie, mettre les enfants
devant le fait accompli. Je pourrais au besoin
aller habiter Villemomble, laisser Laure à
Chelles, comme si je divorçais d'elle. Mais pourquoi m'exciter, avec tous ces conditionnels? Je
pourrais... je ne peux pas. La rue s'allonge, puis
le quai, que j'enfile machinalement, à petits pas
rêveurs, jusqu'au pont de Gournay, jusqu'à
l'arrêt de l'autobus, où je parviens juste au moment où stoppe le 213.

« Papa! » lance une voix rugueuse.

Bruno, qui rentre de Charlemagne avec deux
heures d'avance, saute du marchepied.

« Pas d'étude surveillée, ce soir, explique-t-il.
J'ai vu la liste, elle était affichée sous le préau.
Alors, Louise est dans les choux?

— Si on peut dire... Elle serait plutôt restée dans le muguet. »

Bruno éclate d'un petit rire gêné, qu'il coupe net sur une rangée de dents pures, aiguës, presque transparentes.

« C'est de son âge », dit-il.

Il y a tout dans l'intonation, légèrement glissante : dédaigneuse absolution, complicité fraternelle, sérénité. Mais Bruno pourrait bien aussi avoir hérité de sa grand-mère un don pour les phrases à double sens. Muguet pour Louise, c'est de son âge; ce n'est plus du mien, qui donne dans l'œillet fané. Bruno est peut-être à cent lieues d'y penser, mais quand un souci vous tarabuste, on croit voir partout fleurir les allusions. Mon fils ouvre de nouveau la bouche et je vais y voir une liaison :

« Tu nous abandonnais encore? »

Non, je marchais, sans but précis en réfléchissant. Mais cet *encore* m'est doux. Je mets la main sur l'épaule de Bruno, là où l'on sent bouger l'articulation. N'est-ce point dans ces parages que, voici des années, j'ai mis la même main sur la même épaule, bien plus basse alors et dépourvue de ce vivant paquet de muscles. Mentons :

« Oui, j'allais à Villemomble... »

L'épaule de Bruno s'efface un peu.

« Mais puisque je te tiens, nous allons parler de Marie, une bonne fois. »

Nous allons, parallèles, nous obliquons vers le pont de Gournay, sans autre motif que l'espoir de n'y rencontrer personne. Je n'arrête pas de regarder un canot de caoutchouc qui fait le toton dans un remous au milieu de la Marne; et je parle comme un pagayeur pagaie :

« Il n'est pas d'usage qu'un père, avant de se remarier, demande à son fils son consentement. Moi, je te le demande. »

Bruno s'arrête à la hauteur de la troisième pile, se penche sur le parapet et lance un bref coup de sifflet, à l'américaine, en pointant le doigt vers une forme noire et lentement mouvante qui glisse entre deux eaux.

« Tu as vu? dit-il. C'est un morceau. »

Et sans transition :

« Je ne peux pas t'empêcher. Et c'est dommage... »

Le poisson pique, la barque est comme aspirée sous l'arche.

« C'est dommage, répète Bruno. On était bien. »

Le mot-pavé, décidément, devient sa spécialité. Adverbe pour adverbe, me voici remboursé.

Tu m'aimes moins... Celui-là qui s'était plaint
de vous, celui-là dit qu'il était bien, M. Astin,
vous aviez réussi. *Vous aviez...* Mais tout est remis
en question.

« Si c'était Laure, au moins », reprend Bruno.

Nouvelle phrase courte, incomplète et pourtant lourde de sens : Bruno aime sa tante, il
l'aime même assez pour me permettre, si *au
moins* c'était elle, de l'épouser. Laure n'est pas
son seul argument, comme chez Michel, chez
Louise. Il réserverait volontiers son père à la
paternité. Mais la manie du commentaire intérieur qui doit me rendre pénible et lent, dès
que je discute de choses sérieuses, m'a mis en
retard d'une réplique; je la lâche, en haussant
les épaules :

« On ne commande pas ses sentiments.

— Moi non plus, figure-toi, Papa », répond
Bruno avec vivacité.

Il a relevé la tête, il cherche mon regard, noyé
dans la Marne. En vérité, ce n'est plus Bruno
qui est entrepris, c'est lui qui m'entreprend,
dans sa langue drue, brève, aux tournures de
potache :

« Je voudrais te faire plaisir, tu sais, mais là,
vraiment, je suis en bois. Mlle Germin, comment te dire? Elle nous enlèverait de la place et

puis Maman est morte, on t'a toujours eu tout
seul, ça t'en rognerait aussi. »

Il plaide, le petit bougre, quand je devrais le
faire; il plaide, il se démure, il bouge, pour la
première fois de sa vie. Un jeune homme devant
moi sort de l'enfant, tout armé. Enfin les choses
sont claires, le débat circonscrit. Marie parlait
d'atouts égaux, de partie nulle. Erreur : elle n'a
pas l'as. Je surmonterais peut-être, à contrecœur,
l'opposition de toute la famille; celle de Bruno,
je ne le crois pas. Il n'est pas l'arbitre de la
situation, de toute façon intenable et proche du
dénouement; mais il sera le seul à considérer ce
dénouement comme un test :

« Si tu pouvais, Papa...

— Si je pouvais quoi, Bruno? »

Il hésite, il a honte, il souffle :

« Si tu pouvais laisser tomber... »

Et plein de réserve, sans me sauter au cou, il
tire d'un fond de gorge cinq mots définitifs :

« Tu ne le regretterais pas. »

Voilà ce qu'il fallait me dire. C'était à la
portée de chacun, mais c'est Bruno qui l'aura
dit. *Tu le regretterais,* la menace chez Michel.
Tu ne le regretterais pas, la promesse chez
Bruno. La négation fait toute la différence entre
le style de tête et le style de cœur. Pas de tre-

molos, s. v. p., soyons à la hauteur de cet enfant.
Ma main se crispe un peu sur son épaule.

« Bien, Bruno. »

Il faut le répéter, d'un ton moins résigné :

« Bien. »

Il faut, avec pudeur, sous-entendre mon choix :

« Rentrons, veux-tu? »

X

Où prospère le noyer le châtaignier s'étiole : il
y a des affections inconciliables. C'était fini.
Nous restions six. J'avais, bien entendu, cédé,
une dernière fois, au démon de l'hésitation, écrit
à Marie :

Restons ainsi, jusqu'au départ des enfants. Ils
seront alors trop occupés de leur propre vie pour
s'intéresser à la mienne; ils me laisseront la finir
avec toi.

Mais c'était là un faux-fuyant; j'essayais moins
de ménager l'avenir que de sauver la face, de
masquer ma retraite. Marie, dans sa réponse, me
l'avait dit clairement :

Finir notre vie ensemble, plus tard, toujours
plus tard, si nous sommes encore vivants, non,

Daniel. Nous pouvions commencer, mais tu as obéi à ta mère. Nous pouvions recommencer, mais tu as obéi à ta belle-mère. Avoue plutôt que, sachant mes conditions, tu cherches à les subir, à m'abandonner le soin de rompre. Je ne t'en veux pas : tu t'en voudras suffisamment. Je ne te méprise pas : tu n'es pas méprisable. Je te plains. Tu as été aimé par trois femmes — ce qui n'est pas si fréquent — et tu n'auras su en garder aucune. Pour te laisser tes responsabilités, je te rappelle que le délai convenu expire à la fin des vacances. Je te laisse cette chance, que tu ne prendras pas.

Je n'allais pas la prendre, en effet. Les scru-puleux sont souvent les plus inélégants, quand leurs scrupules se divisent et les empêchent de se justifier. Or mon attitude, courageuse pour les miens (s'il est vrai, d'après Napoléon, qu'en amour le courage, c'est la fuite), devenait pour Marie, injustifiable. Incapable de l'affronter, à Villemomble, durant les huit jours qui nous séparaient des vacances, je me fis porter malade. Puis comme je l'avais annoncé, à tout hasard, j'emmenai les enfants à Pornic, où nous passâmes tout le mois de juillet, sans Laure restée auprès de sa mère. Au mois d'août, Michel — qui avait

choisi lui-même cette forme de récompense —
partit pour Nottingham dans une certaine
famille Crownd recommandée par un de mes collègues, afin d'y perfectionner son anglais, et
Louise dut entrer dans une boîte à bachot. Avec
Bruno, je rejoignis ma belle-mère et ma belle-
sœur, à *L'Emeronce,* en annonçant mon intention de ne pas en bouger jusqu'à la rentrée.

Nul n'y fit la moindre objection. Tout le
monde avait très bien compris et, changeant de
forme, la complicité du clan faisait son possible
pour distraire le monsieur triste, chasser ses
mouches noires, l'enrober de coton. J'avais
apprécié l'absence de Laure, à Pornic (absence
qui signifiait : tu la fuis, ce n'est pas pour me
trouver). J'appréciai moins, de sa part, une soumission accentuée, une reconnaissance muette,
éparpillée dans les petits gestes quotidiens, mais
qui la penchait sur mes chemises avec une dévo-
tion de nonne repassant un corporal. Mamette
se tenait mieux, lorgnait de loin, d'un œil utile-
ment presbyte, les adresses des rares cartes postales que j'envoyais à mes collègues : à tort, du
reste, car je n'avais pas écrit à Marie, je ne voulais pas lui écrire, me laisser tenter. Mais
Mme Hombourg gaffait aussi, par excès de satisfaction : la gratitude des vainqueurs pour leurs

vaincus lui démangeait la langue. Elle avalait
je ne sais plus quel affreux médicament, fignolait
sa grimace et, trouvant son héroïsme délicieux,
resuçait la cuiller en disant :

« Il y a des choses qui coûtent dans la vie. Mais
après l'amer, tout est sucre. »

Une fois même, profitant de ce que nous étions
seuls, elle pointa sa pièce tout droit :

« Vous avez méchante mine, Daniel. A chacun
sa jaunisse, évidemment, la vôtre ne laisse pas le
teint frais. Je suis discrète là-dessus, je ne vous
en reparlerai pas. Mais si ça peut vous soigner
l'âme, je vous dis, moi, comme je le pense, que
finalement vous êtes un honnête homme. »

Honnête aux yeux de l'un, malhonnête aux
yeux de l'autre et pour les mêmes raisons : la
consolation restait maigre. Et le coup restait dur.
J'avais aimé Marie, très mal, mais très longtemps.
L'abandon lui assurait la présence déchirante des
morts, le vain droit des victimes. Je l'imaginais
solitaire, s'enfonçant sur sa jambe trop courte,
ne se pardonnant pas d'avoir été bonne et de
s'être laissé tardivement séduire par un grison.
Je me méprisais, comme elle l'avait prévu, sans
songer que je me fusse méprisé plus encore si
j'avais osé sacrifier mes enfants. Je ruminais mes
regrets, sans m'avouer que ces regrets — il

semble que j'en fasse vœu comme d'autres le font
de pauvreté — avaient leur contrepartie. Car
enfin, je m'étais promis, des années durant,
d'épouser Marie quand Bruno me serait gagné,
quand il pourrait supporter cette épreuve. Il ne
l'avait pas supportée. Mais parce que je n'avais
pas voulu passer outre, parce que je n'avais pas
épousé Marie, Bruno, justement, m'était gagné.
Tout à fait gagné. Il était le dernier cadeau de
Marie.

Et il le savait bien. Il se gardait, lui, de
prendre une tête d'obligé, de manier son père
avec des précautions d'infirmier. Nu, dans
l'ombre courte des ormes accablés de chaleur,
dans l'eau blonde peignée par les épis, il me
récompensait de son plaisir. Il était là, tout le
jour, avec moi.

Quand il fallut rentrer, je n'étais pas guéri,
mais calmé. Mon retour au lycée m'inquiétait
bien un peu. Ma première visite fut pour le proviseur qui commença par s'écrier, bonhomme et
malveillant :

« Alors, votre amie nous abandonne? »

Mon silence le renseigna :

« Vous ne le saviez pas? Elle a demandé son

changement; elle est nommée à Perpignan. »

Je sortis, chagrin et soulagé. Marie et moi avions brisé : la fracture resterait sensible, signée par son cal. J'étais moins délivré d'elle que de moi, du souci d'être un homme quand l'avenir devenait celui d'un père.

Et l'année, tout entière, s'écoula, dominée par ce sentiment dont j'aurais pu faire un meilleur usage, dont je me demande même si, en fin de compte, je ne l'ai pas trahi. Un père, je l'étais, je le serai bien sûr et le plus pélican qui soit : mais de combien d'enfants?

Nous n'étions plus que six, ai-je dit. Simple formule. Nous restions six, déjà effrités. Nous tendions à devenir, en réalité, un (Michel) plus une (Louise) plus deux (Mamette et Laure) plus deux (Bruno et moi).

Revenu d'Angleterre avec une assurance accrue et une tête en brosse (l'archange en avait assez de ses trop beaux cheveux), Michel, entré en Math. Elem. allait se montrer, en effet, chaque jour davantage décidé à faire cavalier seul. Réglant ses horaires, organisant ses dimanches, il s'emparait définitivement de lui-même, ne nous laissant que l'honneur d'assister à la nais-

sance d'une réussite, le soin de la financer et la
joie de penser que son indépendance l'assurerait
mieux que nos conseils.

Quant à Louise, profitant des libertés accor-
dées à son jumeau (son refrain : « Mais j'ai le
même âge, Papa! ») et de ce raccourcissement
de l'autorité familiale qui rend, vers dix-huit
ans, les jeunes gens majeurs à leurs propres yeux,
elle ne s'était pas un instant alarmée d'un nouvel
échec à la session d'automne. Elle avait proposé,
tranquillement, d'interrompre ses études « qui
ne lui serviraient jamais à rien, étant donné ce
qu'elle voulait faire » et de « gagner sa vie, le
plus tôt possible ». Mais le moyen choisi — une
carrière de mannequin — fit froncer les sourcils
des deux côtés de la rue et finalement Louise,
sans alliés, accepta de redoubler. Comme Michel,
toutefois, elle voyait certainement dans l'éviction
de Marie une épreuve de force où je n'avais pas
eu le dessus et qui l'autorisait à s'enhardir. Elle
prit du champ, à sa manière, câline et têtue, de
jeune chatte qui trotte sur du velours. Elle aussi
eut bientôt sa vie à elle, moins franchement
séparée, mais pleine de trous, d'heures perdues,
de distraction et d'amitiés externes.

Du coup, sa grand-mère et sa tante furent un
peu reléguées, en tête-à-tête, parmi les bonnes

vieilles choses. Mme Hombourg faiblissait du reste, réclamait des soins assidus. Sans cesser de tenir notre ménage, Laure dut l'expédier plus vite, réserver plus de présence au mair.

Dans une maison où nous nous retrouvions souvent seuls, tout favorisait ainsi la réunion du dernier sous-groupe. Brusquement distancé par ses aînés, Bruno, à quinze ans, ne pouvait prétendre à jouer des coudes. Il n'en exprimait pas l'envie. Il ne flânait pas, en rentrant du lycée. Il n'avait pour ainsi dire plus de camarades, hormis un petit boulot, un copain presque forcé, partant de la même rue, vers le même lycée, la même classe et qu'il appelait négligemment « Xavier, du 65 ». Le jeudi, comme le dimanche, Bruno ne s'éloignait guère du vivoir; donc de son père, qui, lui non plus, ne s'en éloignait pas. Cette année, dont je n'ai rien à dire, Mme Hombourg la crut peut-être vouée à une sorte de demi-deuil. Je m'étonnais moi-même qu'il n'en fût pas ainsi. Je vivais plutôt une demi-joie, discrète, retenue. Du feu, qui avait couvé si longtemps, pointait enfin la flamme.

XI

J'atteignais ce que j'ai, un moment, appelé
« ma belle époque ». Chacun s'en invente une,
après coup, dont les limites varient, selon l'humeur. Ma belle époque, je la vois parfois s'étaler
sur trois ou quatre ans, de la perte de Marie à la
dispersion des enfants. D'ordinaire, me souve-
nant de ce que m'ont coûté l'une et l'autre, je
suis moins optimiste, je ne donne plus ce nom
qu'à une quinzaine de mois.

Je le leur donne, du reste, de plus en plus
rarement. Ce temps, je me l'envie, je me l'en-
vierai toujours, mais je l'estime moins. Je lui
reproche tantôt ses félicités qui n'auraient pas
dû être complètes, tantôt au contraire cette quié-
tude qui ôte du relief à ce qui dans ma vie me
semble en avoir mérité le plus. Je blâme une
exclusive, mais lui reste fidèle; j'y déniche, au
fond de ma grisaille, une espèce d'honneur que
m'a fait la passion; j'en cherche le secret, les
raisons et la voie.

Je ne les trouve pas. Entre cette année — la seconde de Bruno — dont je n'ai rien à dire sinon que j'y fus un père content et la suivante où il ne se passa rien de plus, mais où je devins un père comblé, il n'y a pas la moindre ligne de démarcation, le moindre incident. Je me suis accusé d'avoir le cœur injuste, de ressembler à ces vieux mortiers, très lents, mais qui s'agrippent bien à ce qui leur est offert si le temps leur en est laissé. Certes les circonstances ne font que nous secourir; elles ne nous inventent jamais. Mais, comme un coffrage facilite la prise, elles m'offraient un resserrement.

Reparti en Angleterre, chez les Crownd, après avoir — premier de session — brillamment enlevé ses Math. Elem., Michel m'avait à la rentrée demandé de le mettre à Louis-le-Grand pour attaquer Math. Spé. Pensionnaire, également sur sa demande, pour mieux foncer sur l'X, pour ne pas perdre du temps en navettes (et, j'imagine, pour se sentir le plus vite et le plus complètement possible, de plain-pied avec son destin parmi le studieux gratin des préparatoires), Michel n'en revenait plus, une fois sur deux, bientôt une fois sur trois, sans prévenir, que le dimanche, expédiait le rituel déjeuner chez Mamette avec une condescendance amusée et filait,

le plus souvent pris en croupe par des voitures
de sport où les plus sérieux héritiers des plus
sérieuses usines, détendaient, à pleins gaz, leur
trop jeune gravité. L'aigle allongeait l'aile, plus
loin que nous.

Quant à Louise, admissible, elle avait raté
l'oral, en juillet comme en octobre et, refusant
catégoriquement de tripler, s'était de nouveau
lancée à l'assaut de nos répugnances pour nous
imposer son entrée dans une école de manne-
quins. Résigné à la voir dactylo ou infirmière ou
même vendeuse, son docteur ès lettres de père
avait essayé d'embaucher l'inquiétude de sa
belle-mère, de sa belle-sœur, puis de se réfugier
dans une douce ironie quand lui furent cités de
grands exemples, comme celui de Praline, de
Bettina et d'autres dames qui ont su rendre
illustre leur carrière de portemanteau. Mais vite
lassé d'entendre mettre en cause son moder-
nisme, il ne put résister à ce respect humain,
de signe inverse, qui rajeunit — et ravage — les
prudences paternelles. Louise voulait gagner sa
vie? Argument louable. Elle voulait être mannequin? Choix moins louable, mais dont, rien
qu'à la regarder, on ne pouvait nier qu'elle eût
les agréables moyens. Mamette, longtemps hésitante, emporta le morceau :

« Après tout, finit-elle par bougonner, n'ayons pas de préjugés. Que ce soit de la langue comme un avocat, des bras comme un terrassier, des pieds comme un coureur, on paie toujours de sa carcasse. Et puis un mannequin, ce n'est pas un modèle; son rôle, au contraire, est de s'habiller. »

Et Louise, autorisée, catapulta ses dix-neuf ans. Je me retrouvai de plus en plus seul, avec Bruno, le dimanche. Mais bientôt la semaine nous rapprocha davantage encore. Rompant avec le principe, auquel je m'étais toujours tenu, d'envoyer mes enfants dans un autre établissement que celui où je professais moi-même, je pris prétexte du fait que Bruno demeurait seul à Charlemagne pour le transférer à Villemomble. N'était-il pas plus simple de faire le trajet ensemble, chaque jour, dans la quatre-chevaux? Bruno partit, rentra, en même temps que moi, se mit à vivre à mon rythme.

On voit ma chance : la seule que j'aie su prendre. Mais déjà je m'inquiète : mon intimité avec Bruno, disons franchement : ma préférence, je ne voudrais pas qu'on la crût d'occasion ni qu'on en méconnût le caractère. Bien sûr, il y avait au fond de moi un bonhomme qui la tenait pour son dû, sa revanche, sa consolation. Mais elle n'était pas fermée, elle n'était pas insolente

(l'insolence, il m'arrive de l'envier; je n'y parviens jamais). Bien que j'aie l'habitude d'enve-
lopper mes sentiments, les plus simples comme
les plus inattendus (conseil maternel : on ne
montre ni son âme ni son caleçon), cette préférence n'était pas non plus camouflée. Elle était.
Ce qu'elle était, au jour le jour. Dépourvue de
pathétique, de véhémence. Tranquille, tamisée.
Remarquable, mais peu remarquée. Avouable,
mais inavouée. Si l'on n'y voyait pas de défi, je
dirais volontiers : naturelle (mais je n'en expri-
merais pas justement la nature). Cet excès, né
d'un manque, ce passage du courant de lui à
moi, de moi à lui, cet accord dont ni dans sa
bouche ni dans la mienne il ne fut jamais question, cela fait, comme un parfum, partie des
richesses que leur seul inventaire évapore; cela
se décrit si mal que, pour en donner un aperçu,
je ne saurais le faire que par touches.

Notons ainsi *sa place* dans l'auto.

Il est normal que dans une famille le plus
jeune, c'est-à-dire le plus petit, celui qui ne saurait voir par-dessus la tête des grands, aille s'asseoir devant, à côté du conducteur. Il est normal
que le siège, où pour accompagner son père un

enfant prend place chaque matin, en l'absence de ses frère et sœur, continue en leur présence à lui être assigné par habitude.

Bruno sera donc toujours devant, à côté du chauffeur. Quand il daignera monter dans la 4 CV, Michel sera toujours derrière, pestant contre l'obligation de replier ses longues jambes; sa sœur aussi, bien qu'elle craigne pour ses bas. Au besoin, Laure se coincera entre eux, pour ne pas gêner le chauffeur.

Mais quand Michel, nanti de son permis, s'installera d'aventure au volant, on verra Louise monter près de lui, tandis que père et fils, permutant avec ensemble, iront s'installer sur la banquette arrière.

Je dis « père et fils » avec intention, le détail n'est pas vain. Quand je parle de Michel ou de Louise, j'emploie le prénom : « Louise devrait être rentrée... Michel a-t-il écrit? » Il en fut longtemps ainsi pour Bruno, également appelé « le petit » par une de ces facilités ou de ces gentillesses de bouche qui d'ordinaire horripilent les benjamins.

Mais le fait d'avoir Bruno sur les talons, si souvent, de le présenter en deux mots, *mon fils,*

à tous venants, a fini par me déformer la langue.
Si je suis sorti sans lui, je vais immanquablement
demander, en rentrant :

« Mon fils est là? »

Laure y a l'oreille faite. Ce « mon fils » désigne
pour elle « le fils qui, justement, est toujours
là »; elle n'y voit pas malice. Il lui arrivera même
de répondre :

« Non, votre fils n'est pas là. Mais Michel vient
d'arriver, à l'improviste. »

Elle ne remarquera point et longtemps je ne
remarquerai pas moi-même, car je n'y mets pas
d'intonation particulière, que le nom de Bruno,
je le réserve à ce dialogue où ne figure ni « mon
chéri » ni « mon chou » ni aucune appellation
de ce genre, ni aucun diminutif. « On y va,
Bruno?... Dis, Bruno, tu as mis de l'eau dans le
radiateur? Mets un pull, tu sais, Bruno, il fait
frais. » Bruno, appellatif, interrogatif, vocatif,
cela suffit, la nuance fait tout, dit tout, qui fait
glisser la langue entre les lèvres et ma seule précaution est d'adoucir mon B, comme si je craignais de mériter le reproche dudit, qui déteste
son nom (je ne l'ai pas choisi) et grogne encore
parfois : « Bruno, pruneau, c'est un nom à fiche
la colique. »

Fait notable, Bruno rend la monnaie. « Papa »

n'a pas disparu de sa bouche, mais il préfère dire :

« Mon père est là? »

L'aisance de Bruno. J'y tiens, plus qu'à toute autre preuve. Ce n'est en aucune façon sa spécia-lité; il reste même très noué, dès qu'il s'éloigne de la maison. Cette aisance-là, j'en ai pris le privilège; je l'ai vue naître, de la pire contrac-tion; je l'ai flattée, excitée de cent façons et c'est une chance que malgré de tels encouragements elle n'ait pas tourné à la désinvolture. Bruno n'en abuse pas, parce qu'il l'ignore. Elle inspire seulement ses gestes, ses demandes, ses reparties. Dépourvue de malignité, elle n'est pas de tout repos. Bruno a l'oreille infaillible, l'œil rigou-reux de la jeunesse. Ce que nul n'ose me dire, il le dit tout rond et cela donne tantôt, devant le poste :

« Tu te goures. Ça, on l'a déjà entendu. Ce n'est pas le second, c'est le troisième mouve-ment... »

Et tantôt, à la sortie de la salle de bain :

« Dis donc, Papa, tu prends du ventre. »

Ce que je ne tolérerais de nul autre.

La franchise de Bruno : autre preuve. Bruno
a appris à se confier. Entendons-nous : il le peut,
maintenant, quand il le veut. Il le veut rarement. C'est un garçon aux dents serrées, qui ne
se relâche point pour des vétilles. Les chuchots,
les épanchements, la diarrhée des confidences
que les filles ne savent retenir et dont s'emmous-
caillent passionnément leurs mères, ne seront
jamais son fait. Il a du secret, comme on a de
la moelle et, pour certains, il faudrait lui scier
l'os. Ses confessions il les livre même le plus souvent sous la forme d'exclamations, de questions
saugrenues. Mais il n'a point de tabous, ni de
fausses pudeurs. Il s'épuce soudain. Et s'il
s'épuce, c'est que ça le pique.

Voyez : il sort, ébouriffé — à force d'avoir
nerveusement fourragé dans ses cheveux — de la
classe de chimie; il se précipite sur son bouquin,
le feuillette âprement, tombe en arrêt sur la
bonne page :

« Tu parles d'une pomme! » dit-il.

Il s'agit certainement de lui, car pour la critique d'autrui, comme tout le monde, il aurait
forcé la note et dit : « Tu parles d'un con. » Du
reste, il continue, décontracté comme je voudrais
bien l'être dans l'autocritique :

« La mémoire, non, tu n'aurais pas pu m'en refiler un peu plus? Je me suis encore fichu dedans, avec leurs valences. Ne te fais pas de mousse, tu n'as rien à craindre : ce n'est pas moi qui te ferai casquer un doctorat. »

Ceci pour le ton, qui reste jeunet. A l'occasion Bruno se creuse vraiment et, parfois, très avant. J'aime l'innocence avec laquelle il touche alors à des sujets qu'à son âge j'aurais farouchement tus. (Il est vrai qu'une oreille de père a moins de nacre que celle d'une mère.) Aussi poisson que son frère, maintenant, il m'entraîne de temps en temps à la baignade du C. S. C. Il pique sous les cordes, tambourine à coups de talon sur les gonnes de flottage, pousse au mépris du règlement jusqu'à la passerelle de fer qui enjambe la Marne, la contourne en se jouant du courant et revient, brassant, crawlant, bouchon-nant, faisant son serin, éclaboussant l'œil des maigres ondines prudemment assises sur le caille-botis du ponton et dont le nombril, centre d'un navrant petit monde, ponctue le ventre plat. Il n'a d'ordinaire pas un regard pour elles. Mais voici que s'avance une tout autre créature, une demoiselle très achevée, si mal contenue par son maillot que son avers (ce que Bruno appelle « les phares ») comme son revers (ce que Bruno

appelle « le pont ») ont des générosités de statue.
Bruno qui se hissait, ruisselant, glorieux, se recro-
queville. Il me rejoint, subitement étroit, voûté,
sans poil, insuffisant d'épaules. Son regard qui ne
quittait pas l'inconnue, en train de tâter du bout
du pied l'élasticité du tremplin, oscille, revient,
repart, se délivre enfin. On se détourne, on s'assied, on se tortille un peu, on grogne :

« Merde alors, ça m'agace. »

Et Bruno, discrètement, tire sur son slip gonflé.
Et c'est moi qui suis gêné, qui envie le paga-
nisme gaillard du père de saint Augustin fier de
s'apercevoir, aux Thermes, que son fils était devenu pubère. Mais Bruno ne m'épargnera pas :

« Ça devrait se commander! » reprend-il, sans
la moindre ironie.

Et aussitôt, en se retortillant :

« Tu penses, comme c'est commode, après, le
soir, de se résister! Tu y arrivais, toi? »

Le fichu gosse! Mes réflexions s'allument,
comme une série de bougies plantées sur les
lustres d'église et reliées par un fil où court la
flamme. *Un :* Quel ton facile pour parler de
choses qui ne le sont pas! Est-ce une grâce particulière ou touche-t-elle cette génération? *Deux :*
Il aurait pu dire : « Tu y arrives, toi? » Croit-il
donc, ce naïf, que je n'ai plus les moyens de la

tentation? *Trois :* Quand j'avais huit ans, je trouvais scandaleux les éventaires des marchands de bonbons. Le monde est mal fait. Au désir, comme à la gourmandise, il est toujours interdit de croquer l'étalage. *Quatre :* Une des bougies ne prend pas : c'est la réponse qu'il faudrait donner, tout de suite. *Cinq :* L'impureté n'est pas dans l'acte, mais dans l'idée qu'on s'en fait. Qui le tient pour un dérivatif est aussi pur que le continent. Pourquoi ne puis-je pas l'affirmer, alors que je le pense, alors que je puis rendre à cet enfant candeur et tranquillité? *Six :* Voilà bien l'exemple du problème pratique, banal, journalier, devant qui les pères sont toujours aussi muselés que les leurs le furent, toujours aussi impuissants à tenir leur rôle. Prenons la tangente, puisque nous sommes un lâche :

« Nous sommes tous les mêmes, tu sais. »

Ceci n'approuve ni ne condamne. J'en ai chaud. Mais la septième bougie s'allume, brille si fort qu'elle éclipse toutes les autres : « Fichu gosse! Mon gosse! Tant de confiance souligne assez ce qui la lui inspire. Ce dont j'ai tant rêvé. Ce que je suis pour lui... » Un instant la bougie vacille et fume. Bruno ronchonne de nouveau, tout bas. Je devine :

« Moi, tu sais, je n'y arrive plus. »

Bruno! L'aveu me comble. J'aimais ma mère
et je n'aurais pas pu.

Sa mesure, avec ça. Sûr de mes faveurs il n'en
réclame aucune. Il les éviterait plutôt. Certains
cadeaux l'irritent. Tous semblent choquer chez
lui le sentiment confus (je connais ça) de son
peu de mérite, une sorte d'humble point d'honneur et, peut-être, l'idée qu'il se fait de notre
entente. Pour son anniversaire j'avais repéré,
chez le grand bijoutier de l'avenue de la Résistance, un chrono à multiples aiguilles, un chef-
d'œuvre né du même génie que ces couteaux,
également suisses, dont les multiples lames font
l'orgueil d'une poche de garçon. J'ai traîné mon
fils jusqu'au magasin, mis le doigt sur l'objet.
Mais Bruno s'est aussitôt récrié :

« Mets-y un frein! Cette montre-là, Michel
lui-même n'en a pas une si belle. J'aurais l'air
de quoi? »

Il n'a pas choisi la moins chère, mais un modèle courant, monté sur un solide bracelet qu'il
s'est attaché au poignet en répétant (deux fois :
il devait être très content) le « T'es chic » qui
lui sert d'action de grâces.

Sa reconnaissance n'aime pas en effet les mercis. Outre la formule précédente — dont il est avare — et en vertu de l'étymologie bien connue *ça va, savate, etc.*, Bruno exprime ses satisfactions à l'aide des pointures. « Trentedeux! » pour un plat, c'est un jugement sévère, redouté de Laure. S'il crie « Quarante! » en revenant du mair, c'est que Mamette est dans un bon jour. J'ai su où nous en étions, lui et moi, le jour où Bachelard m'a répété ce que Bruno dit de moi sous les préaux :

« Mon père? Ah, je ne l'échangerais pas pour un autre! C'est un vrai quarante-quatre. »

Son influence : autre aspect de nos transformations. Les benjamins bien en cour servent souvent à leurs aînés d'ambassadeurs.

« Tu devrais dire au vieux que je suis fauché... Et ma raquette, il me l'a promise, tu ne peux pas le lui rappeler? »

Louise cajole Bruno, le ponctue de rouge, l'appelle « son petit brun ». Michel compose avec l'ex- « patate », lui reconnaît une situation intermédiaire entre le groom et l'intendant. Bruno préfère encore sa manière :

« La dèche, la lèche! » dit-il calmement.

Ce rôle ne l'emballe pas. Chance inouïe, sur laquelle je ne reviendrai jamais assez, non seulement Bruno déteste jouer les favoris, mais il n'imagine pas qu'il puisse l'être; il croit que son unique pouvoir vient de ce qu'il est là; il est persuadé que mes vrais favoris, honorés comme tels de permissions, de libertés, ce sont ses favoris à lui : « Louise pour ce qu'elle a dehors et Michel pour ce qu'il a dedans », étant bien entendu que lui, Bruno, n'a rien. Cependant il s'efforce, fait son juste, pèse nos intérêts.

« Tu tombes mal, c'est bien le moment, mon père vient de payer sa surtaxe », objecte-t-il prudemment.

Ce qui ne l'empêche pas de faire mon siège :

« Michel doit avoir bonne mine quand il est sans un pour remercier qui le trimballe... »

J'ai même droit à de vraies sentences :

« Quand on a commencé à s'écorcher, autant gratter jusqu'au bout! »

Laure elle-même a recours à Bruno. Sa présence n'a jamais été opaque, mais depuis l'éviction de Marie elle atteint le comble de la transparence. Elle est toujours partout, mais on dirait qu'elle est parvenue à peupler la maison comme l'air la remplit. Bruno est l'intermédiaire entre

le visible et l'invisible. Laure est peut-être dans
mon dos, c'est peut-être elle qui vient par économie d'éteindre la moitié du lustre, c'est peut-
être elle qui fourgonne dans le placard aux
balais, n'importe, c'est Bruno qui demande :
« Un chou farci, ça va, pour demain midi? »

Mon influence, aussi : je ne la déteste pas, je
ne l'aime pas trop non plus. Mais comment s'empêcher d'avoir une attraction? Les corps s'attirent
en raison directe de leur masse — je n'en ai
guère —, mais ils le font aussi en raison inverse
du carré de la distance — et je suis très près de
Bruno, et je ne peux souhaiter que de m'en
approcher davantage.

Il m'a d'abord servi de bloc-notes : « N'oublie
pas, je dois passer demain chez l'économe, pour
la pension de ton frère... Tu me rappelleras aussi
que j'ai une leçon à six heures chez Bardin. »

Puis, sur ce bloc-notes j'ai griffonné des appré-
ciations : « Bardin ne suivra jamais. C'est le type
même du garçon qui aurait déjà dû être éliminé,
dirigé sur une école professionnelle. Si ses parents ne retardaient pas l'échéance à coups de
répétitions, si nous avions une vraie sélection,
si la Réforme de l'enseignement, si le gouver-

nement... » Et voilà les idées en branle, les valeurs, tout le tremblement. On parle, on parle, on est content de soi, on est sûr de certaines choses qui font partie de notre étroit domaine technique, on est moins sûr du reste, mais on continue à parler, pour soi, pour se préciser ce qu'on pense, on oublie qu'une oreille toute neuve vous écoute, aussi fidèlement qu'un micro et ce que vous venez de dire sera classé comme un disque.

Premier résultat, le disque tourne : « Papa dit que... » Tous les enfants sont des échos. Quant aux parents, pour si peu de fâchés, combien de flattés, d'attendris, par ce système de références? Je connais mes tics, je condamne cette régurgitation, fréquente chez moi, des sentences maternelles (comme disait Maman...). Mais je l'évite mal. Et tout ce qui me fait sentir que je suis capable d'être pour mon fils ce que ma propre mère fut pour moi m'est précieux.

Second résultat : l'imitation. Je retrouve chez Bruno des gestes (cette façon de dire non avec l'index levé), des tours de phrase. Je retrouve mon goût (*nous* n'aimons pas le chrome, *nous* ne comprenons pas les mêmes tableaux dans les galeries), mes phobies (cette foule du métro), des hésitations (juger trop vite, c'est méjuger), le

chiendent des scrupules, une fidélité grondeuse,
canine, une propension au repli, à l'attente, au
demi-silence, à la conversation muette du sourire. Et là encore mon plaisir m'embarrasse.
Tout ce que Bruno semble tenir de moi m'en-
chante. Vieille quête : je me souviens de la joie
avec laquelle je découvris, voilà six ans, qu'il
avait, comme moi, le pouce du pied trop grand :
anomalie généralement héréditaire. Dans sa mentalité, qu'y a-t-il d'acquis? Qu'y a-t-il d'inné?
Non, je ne désire pas, en Bruno, me donner une
réplique. Je rêve de ressemblance. Et si ce n'est
point cela, qu'il me pardonne ce que je lui
donne! Ainsi, du moins, aura-t-il eu de ma se-
mence.

Bruno, Bruno. Que dire encore de mes félicités? Qu'elles ne s'amignardent pas. Qu'elles ne
posent pas de ventouses, comme dit mon fils en
parlant des embrassades de son aïeule. Qu'elles
me donnent l'habitude de tourner la tête à
droite. (*A la droite du père,* nous sommes bibli-
ques; mais c'est, je le répète, sa place dans l'auto.)
Qu'elles m'ont donné l'habitude de tourner la
tête à droite, un petit coup, un autre, comme ça,
de temps en temps, pour revoir cette bonne

grosse caboche au cheveu dru. Ce grain de beauté
qu'assaillent, en pleine joue, quelques poils fol-
lets. Cette prunelle grise qui prend de l'importance dans le blanc de l'œil — comme les
réflexions de Bruno en prennent sur son innocence. Ces doigts encore tachés d'encre, bien
qu'on approche, si vite, de son bachot. Ce corps
dont la pousse en hauteur est presque achevée
et qui s'occupe maintenant de sa largeur, qui se
met à l'aise dans le blouson.

Bruno, Bruno... N'oublions pas la contrepartie.
Il y a cette mouche dans le lait : ai-je mérité ce
qui m'arrive?

Il y a cette peur : combien cela durera-t-il?

Il y a ce petit remords qui appuie cette peur :
comment puis-je être aussi peu gêné par le souvenir de Marie? Notre attachement, si long qu'il
ait été, fut un long provisoire qui a trouvé sa fin.

Il y a le partage. Il y a le petit professeur de
choc que Bruno admire, les rares copains, notamment ce gros Xavier du 65 (qu'il a connu à Charlemagne et qui, malgré le changement de lycée,
vient jusqu'à la maison), le souvenir soigneusement redoré de sa mère, l'inlassable affection de
Laure, l'intérêt vague de ces petites qui dans la
rue lorgnent mon jeunot et se retournent, une
fois, deux fois, d'un mousseux tour de jupe, et

les voisins par-dessus le mur, les commerçants par-dessus le comptoir, tous ces gens, tous ces vivants qui piègent l'attention, qui s'occupent de vous, qui glosent, qui font monter une mer de salive autour de votre île déserte.

Il y a l'âge de Bruno qui a, déjà, seize ans, qui est, déjà, rhétoricien.

Il y a la mobilité de l'adolescence, pour l'instant soumise à des horaires, des programmes, des habitudes. Quand je le vois parfois relever le nez, je songe au taurillon qui hume l'air, venu de si loin faire frémir l'herbe de son parc.

Il y a, entre lui et moi, tout de même, ce décalage. Le décalage normal. Bruno aime son père comme on aime son père. Et même : comme il aimerait sa mère. S'il n'était fou, qui voudrait mieux? *Et l'amour vient du Père qui est à l'origine; celui du fils en est la conséquence.*

Il y a l'étonnement du mair. Oh! ce n'est pas de l'indignation. Mais ces dames, si longtemps acharnées à me croire « l'honnête homme », à penser que j'assumais le rôle accepté, s'ébahissent un peu. Pour elles, sans doute, je fais du remploi d'affection, j'ai reporté sur Bruno la rente dont jouissait Marie. Je me suis, avide de protectorat, rabattu sur le moins rétif; ou encore je me suis mis à la paternité comme on se met

au régime. Mamette a certainement voulu me
le dire, en claironnant devant un plat d'épinards
où luisaient les yeux jaunes d'un œuf dur :

« Moi, je détestais les épinards; maintenant,
je les adore. On déteste les épinards, on se force,
on s'habitue, on y prend goût, on ne veut plus
que ça... »

Bruno, Bruno... La 4 CV file sur Villemomble
et dans la courte portion de route dégagée il
réclame, bien entendu :

« Champignon, quoi! Tu n'as rien devant. »

L'auto pour moi est une machine à trans-
porter. Pour Bruno, même une 4 CV, c'est du
mouvement. J'appuie un peu sur la pédale. Je
suis bien. Je ne désire rien, qu'aller ainsi, au
plus loin. Je suis bien : vivre toute autre vie me
semblerait maintenant aussi absurde que de
conduire en machine arrière. C'est un fait, dans
l'existence tant de situations sont réversibles. On
change de chemise, d'emploi, d'idées. On change

de femme. On ne change pas d'enfant. Il est né,
il vous tient, il vous a. Il est et rien ne ferait,
même sa mort, qu'il n'ait pas été. Il sera et tout
concourt, même notre mort, à lui assurer notre
suite. L'enfant, voilà l'irréversible. Et après moi,

après lui, toujours devant, à la vitesse du temps...
« Ben quoi, tu as calé! » s'exclame Bruno.

Oui, j'ai freiné trop fort, j'ai calé, devant deux
écoliers qui traversaient la rue. Moi aussi, j'ai
deux autres enfants et je cogite au singulier.

XII

DIMANCHE. Pour une fois, tout le monde est là. Large de front, d'épaules et assis en équerre, Michel a l'air en visite chez des gens de plus modeste condition. Avec une moue, qu'il oppose à tout ce qu'il estime peu sérieux — et pour lui toute littérature est futile —, il feuillette *L'Etranger,* oublié sur la table par Laure qui lit peu, faute de temps, mais n'a point, comme on pourrait le croire, des lectures de ménagère. Il a dit, en arrivant :

« Le Buffle ne voulait pas que je me présente dès la première année. Finalement il en a convenu, je peux tenter ma chance. Un an de gagné, tu penses! »

Je savais. « Le Buffle » faisait ses sciences quand je faisais mes lettres; il daigne s'en souvenir parfois et me téléphoner. Il meuglait hier dans l'appareil : « J'aurais préféré que ton fils attende. En deuxième année, il était fichu de faire un major. » Michel a ajouté :

« Rien de spécial. Vous m'avez, pour la journée. »

Résigné à sa résignation, incapable d'être pour lui autre chose que le père à pension, à signatures, à satisfecit, j'ai murmuré, comme il convenait :

« Parfait. »

Louise au moins se donne quelque peine. La gentillesse est dans sa nature, elle nous la prodigue comme à d'autres, mais, quand elle est là, l'illusion est complète. Elle a déjà trop de métier, trop de port; elle a ce visage trop lisse, où les sourires sont atténués par la crainte d'y amorcer une ride, où les yeux sont sertis comme des chatons de bague. Mais quand elle passe, occupée à penser ses précieux mouvements, à régler ce vol pur que font autour d'elle les oiseaux de ses gestes, je ne m'en veux pas d'être son père.

Bruno admire, plus simplement : l'un et l'autre.

« Tu passes, c'est couru », dit-il à son frère.

Il se retourne vers sa sœur, il palpe, il jubile :

« Mince de robe! »

Puis, jouant son rôle de factotum, il annonce :

« Pas de déjeuner chez Mamette, aujourd'hui.

Elle a 24 de tension. Laure l'a purgée; elle est
de consigne près du seau...

— Je t'en prie, coupe Michel.

— Pauvre Laure! » murmure Louise qui en
plisse le nez, au mépris de ses propres consignes,
mais ne songerait pas un instant à proposer son
aide pour une tâche aussi peu ragoûtante, qui
oblige Laure à soulever seule une lourde vieille
femme à demi paralysée.

« Elle nous a laissé un déjeuner froid, reprend
Bruno, qui a le coq-à-l'âne héroïque. Où le
bouffe-t-on? Papa propose un pique-nique à la
mer de sable d'Ermenonville.

— La mer de sable, ces dunes avec des
rochers dessus où on a tourné des extérieurs de
Sahara? Alors, non, j'ai vu le film », dit Louise,
dont l'érudition cinématographique, seule, est
solide.

Suit une discussion confuse. Bruno irait bien
à Orly. « Voir les gros-gros z'avions », raille
Michel. Bruno se posterait volontiers sur le passage de Bordeaux-Paris. « Vas-y Bobet! » lance
Michel, tandis que Louise, très peu fervente du
saucissonnage, intervient : on pourrait garder le
repas pour ce soir et déjeuner tout bêtement au
Poisson-Volant, de l'autre côté des Iles. Après
quoi danserait qui veut, tandis qu'aux pieds

plats resterait toujours la ressource du pédalo ou
du canot de louage. « Faisable », estime Michel.
Mine de Bruno, qui prévoit l'abandon. Mine
de M. Astin, qui ne croit pas que l'abandon en
compagnie de Papa soit une catastrophe, mais
fait des comptes. Sa fin de mois est ardue. Il n'en
parle jamais, mais il fait des prodiges pour sou-
tenir le train, payer les études de Michel, les
robes de Louise; il a depuis longtemps exter-
miné à cet effet un dernier lot de ces valeurs,
dites de père de famille, qui se sont encore
mieux dévaluées que leur autorité. Il est sans
le sou jusqu'au chèque du 30. Avec une éloquence muette, il se frotte le pouce contre
l'index, en murmurant, bon prof, pour décorer
sa honte :

« *Non licet omnibus adire Corinthum.*

— Ne t'en fais pas, dit Louise.

— Dans ce cas, évidemment! » dit Michel.

Un silence me juge : pauvre papa qui fait ce
qu'il peut, qui peut peu. Chut, il ne faut pas lui
faire de peine. Mais, moi, Michel, de la race des
forts, moi, Louise, de la race des belles, nous
aurons plus de classe. Le fort se redresse; la belle
pivote sur ses talons. Ils se rejoignent dans le
vestibule, se concertent, décrochent le téléphone.
Je l'ai déjà remarqué, bien qu'ils n'aient pas

grand-chose en commun, sauf cette espèce de foi
ou de force qu'ils ont l'un dans le front comme
un bœuf, l'autre dans les jambes comme une
gazelle, ces deux-là s'entendent à merveille.
Quand Michel appelle sa sœur : « Hé! jumelle »,
avec l'accent qu'il lui réserve, il est agréable de
se dire qu'il a sa dilection, qu'il n'est pas tout
à fait sec. Il l'est moins de faire les frais de leur
complicité. Ils ont composé un numéro, ils s'es-
claffent, se repassent l'appareil, mêlent leurs
voix, grave et pointue :

« Marie?... Les Jumeaux... Les jumeaux Astin,
quoi, tu en connais d'autres dans le coin?... Juste,
on ne savait que faire, on se demandait si... Alors,
ça va, ça tombe à pic, on en est... Des rondelles?
On a une petite salade, Bechet, Barclay, Lafitte,
Osterwald, Gillespie, Doggett, Holiday, une
trentaine en tout et bien dix, je te préviens, qui
rabotent... On va voir pour le frichti... Soyez
chouettes, venez nous ratisser. »

Et nos jumeaux réapparaissent, un peu gênés.

« Les Lebleye viennent nous chercher, dit
Louise. Ils ont toute une bande chez eux. Tu
nous donnes la moitié du poulet?

— J'emporte les disques de jazz », dit Michel.

Nouvelle mine de Bruno, qui n'est plus du
tout dans la course. Mine, énormément désa-

busée, de M. Astin qui se fait une raison et murmure :

« Allez, allez! »

On l'embrasse. On fonce sur le frigo, sur la
discothèque. Bruno me reste, soyons serein.
Réflexion faite, dans la mer de sable, j'aurais fait
figure de chameau. L'impossibilité pour deux
générations et même pour deux demi-généra-
tions de se distraire ensemble ne se déplore pas;
elle se constate. Faute de se distraire, au sein des
bonnes familles, on s'ennuie courageusement
ensemble et pour effacer le coup on appelle ça
dimanche. Mieux vaut encore, à leur gré, laisser
s'égailler vos oiseaux. Les jumeaux, qui ont tor-
turé le poulet, reviennent avec un paquet graisseux. Je crois qu'on m'a aussi emprunté une
bouteille. Enfin, on sonne.

« Déjà! » fait Bruno lugubre.

Deux, trois, quatre, six têtes oscillent derrière
les barreaux de la grille (je pense, moins serein
que je ne le prétends : les barreaux de la
cage).

« Qui c'est, la petite en bleu? demande Bruno,
dont l'envie de s'accrocher est évidente et qui
croit prouver son adolescence en faisant le coque-
let (de près les filles le rendent aphone).

— Odile, la cousine de Marie, elle a seize ans,

elle habite le vieux Chelles, répond Louise, rapidement.

— Opso! »

Opso, c'est-à-dire : *on pourrait s'occuper,* sigle local de la division des grands, pour exprimer leur sifflante admiration. Même remarque : qui le prononce ne veut plus être classé parmi les enfants de chœur. Mais Louise n'a même pas entendu, elle ouvre la porte, agite les bras. Michel s'avance, plus digne. Bruno me regarde d'un air désespéré. Il a seize ans, comme Odile. Je pourrais dire : « Vous n'emmenez pas Bruno? » Mais je ne dis rien. On n'emmènera pas Bruno. Les jumeaux ont rejoint la bande, d'où fusent les acclamations-exclamations. Louise serre la main de Rouy, son novio du bord de Marne avec une négligence amicale qui me rassure. Elle a vieilli plus vite, elle sait son prix. Michel, très entouré, s'en va, dépassant d'une tête un banc de cheveux de filles, comme un nageur parmi les algues. Lui sait son heure. Les pas, les jacassements s'éloignent, sur la droite. Nous voilà seuls. Bruno qui n'imagine pas que j'aie pu pécher par omission, qui pense, le bon agneau, que j'ai péché par incompréhension, bêle tristement :

« Ce qu'on fait, nous? »

Ce qu'il voudra. Je suis plein de remords. Mais quoi, on re-sonne : quel est ce gnome bouffi qui pointe son nez rond?

« Monsieur Astin! »

C'est à moi qu'on en veut. Je reconnais Xavier, du 65.

« Monsieur Astin, Papa demande si vous voulez nous donner Bruno. Nous avons une place de trop pour le circuit des Jeunes du département, mon frère est en colle. »

Que dire, que faire, sinon me retourner, murmurer d'un air dubitatif :

« Ça te chante?

— Tu parles! »

Nulle hésitation. Pas de fausse honte. Ça lui chante, de do à si, sur toute la gamme. Les yeux brillants entre les cils qui tremblent, il supplie :

« Ecoute, Papa, je suis toujours avec toi, je ne sors jamais... »

Le tentateur nous presse. Il crie :

« Décide-toi. On part dans un quart d'heure. Tu prends un casse-croûte et tu te trottes.

— Ça m'ennuie un peu de te laisser tout seul », souffle Bruno.

Ça l'ennuie un peu, entendez-vous. Rien qu'un peu, le gentillet! Puisqu'il en a envie, qu'il se trotte, comme dit le gnome, sans avoir eu

le temps de s'apercevoir que j'ai les oreilles
rouges. Jetons-lui, comme aux autres, sèchement :

« Va, va... »

Bruno m'embrasse, aussi comme les autres —
avec fougue, il est vrai. Il fonce aussi vers le frigo.
Il revient aussi avec un paquet graisseux. Il
détale sur le sablon de la cour, claque le portillon, vire à gauche et disparaît. Et merde, écla-
tons, jurons, nom de Dieu de merde, *ore non
rotundo,* insultons les murs et le Seigneur qui
ne m'a pas fait puissant, mais qui me veut néanmoins solitaire. Et merde, j'en sais un qui n'est
ni de la race des forts, ni de la race des beaux,
mais de celle des imbéciles. La bonté paie sur la
terre. Dans ta mansuétude qu'attends-tu, crétin,
pour traverser la rue et t'en aller pieusement dé-
crotter Madame ta belle-mère? Mais prends des
forces pour cette auguste tâche, va ronger ce qui
te fut laissé : un pilon de poulet, englué d'une
gélatine qui, seule, tremblera de ta colère.

XIII

Ils sont rentrés tard tous les trois, Bruno le dernier. Ils ont trouvé l'armoire blanche de la cuisine repeinte de frais. J'ai dit :

« Elle me faisait honte. »

J'avais honte, en effet, depuis quelques heures.
La soupe-au-lait, chez moi, tourne très vite; mes
rognes, immanquablement, me retombent dessus
et c'est même un des rares traits de mon caractère que j'apprécie un peu. J'ai réfléchi, le pin-
ceau en main. J'ai réfléchi, laissant goutter sur
le carrelage des étoiles de Ripolin qu'il m'a fallu
nettoyer, ensuite, à genoux.

Bonne posture, pour un pénitent. Il n'y a pas
de doute, comme l'escapade de Bruno (et la
phrase qui pour moi en résume le sens : *Tu
m'aimes moins*), comme le bain forcé d'Anetz
(et l'apostrophe de Mamette : *Vous sautez sur
Bruno, qui sait nager*), ceci est un avertissement.
J'ai longtemps ignoré qu'il était devenu mon
préféré. J'ignorais ce matin que j'étais en train

de devenir un père abusif, l'équivalent mâle
d'une nourrice qui boirait son lait, d'une Geni-
trix enserrant la chère proie avec des pattes
d'araignée.

Le fils de ma mère m'habite toujours. Or il y
a un temps pour prendre qui est celui des fils.
Il y a un temps pour rendre (je ne dis pas donner,
puisque nous avions reçu) qui est celui des pères.
Des pères qui entendent l'être pour leurs satisfactions, qui sont partie prenante dans la paternité, ce ne sont pas des pères. Ce sont des fils qui
jouent à être pères, qui aiment leur enfant
comme on aime une maîtresse, comme on aime
une maison : pour en jouir. Ils sont beaucoup,
mais ce n'est pas une excuse.

Il suppliait, le gosse : « Ecoute, papa, je suis
toujours avec toi... » Il ne s'en plaignait pas. Il
réclamait seulement un peu d'air. De l'air, j'en
ai donné, trop peut-être et trop vite, à Michel
et à Louise, sans leur fournir, en moi, le même
abri. Forçant un peu les mots, je pourrais dire :
ils ont le monde, Bruno a la maison. Mais n'est-
ce pas mieux le combler que lui offrir l'un et
l'autre? Vais-je en faire un replié, un surgreffé,
un être si égoïstement mis à ma disposition qu'il
en sera, plus tard, indisponible? En Bruno, j'ai
accepté, puis découvert puis exalté un fils. Com-

ment n'ai-je pas vu que, pour qu'il soit mon fils, il faut que je ne lui sois point donné comme barrière, il faut que de l'anormal naisse le normal, qu'il me soit un fils *ordinaire*.

Troisième avertissement : j'ai de la chance au fond. A chaque fois il aurait pu être trop tard et, à chaque fois, il était encore temps. Seul, sans conseiller, sans femme, sans amie, maladroit comme une fille mère cramponnée à son enfant, moins heureux qu'elle — qui, au moins, est sûre de son sang —, j'ai tout de même fait de Bruno ce qu'il m'est. Je sais, je n'en ai pas fini. S'il n'est pas question de me délivrer de lui, il peut l'être, il le sera, un jour, de le délivrer de moi.

C'est tout. J'essaie de railler : « Comme jadis, voilà que je me gratte. » Mais cette fois la peau y passe. Où donc est le temps où, mécontent de ne pas réussir avec Bruno, je cherchais la recette pour devenir un père bien, un père sérieux, un père en paix avec lui-même? Ça, pour trouver, en cherchant, on trouve toujours : autre chose que ce qu'on cherchait. Et j'ai trouvé, justement, ce qui jamais plus ne me laissera en paix.

Ils sont rentrés tard, Bruno le dernier. J'ai demandé aux aînés :

« Vous vous êtes bien amusés? »

Ils ont paru étonnés, mais contents de ma question. (Ne l'ai-je jamais posée ou le ton n'y était-il pas?) Décidément bourrelé de scrupules, je me suis dit que je n'étais vraiment qu'un tiers de père et qu'il allait falloir, pour l'édification, pour l'équilibre de mon troisième, reconquérir un peu de place dans la vie des jumeaux, fût-ce contre leur gré. Résolution d'ivrogne, je le crains. Quand Bruno est arrivé, j'ai eu soin de ne pas me précipiter, d'attendre qu'il vienne m'embrasser. C'était le même Bruno, dans le même costume qui devient juste aux entournures. Mais je lui ai trouvé l'air nouveau ou supposé tel que le vieil oncle égrillard ou les petits cousins cherchent sur le visage de la mariée au lendemain de ses noces. J'allai lui demander aussi : « Tu t'es bien amusé? » quand ma langue a fait deux tours. On ne demande pas à un garçon de seize ans s'il s'est bien amusé. Avec la susceptibilité de l'entre-deux âges, il serait capable de se piquer, de croire que vous le prenez encore pour un enfant.

« C'était intéressant?

— Pas tellement, a-t-il avoué. Tu sais, moi, les monuments, les églises... Le mieux, c'était la balade. »

Sincérité, hypocrisie, souci d'atténuer son

plaisir pour atténuer mon dépit, qui peut le savoir?

« Avec tout ça, je n'ai pas fait mon anglais, a-t-il ajouté, candide.

— Mets-y toi tout de suite. »

Son regard est alors venu buter contre le mien.

« Tout de suite, ai-je répété, très ferme. Tu ne dîneras pas avant d'avoir fini. A un mois du bac on ne néglige pas un devoir d'anglais, surtout quand l'anglais est notre partie faible... »

Et la force m'est revenue parce qu'il obéissait sans sourciller. Nous autres, éducateurs, nous connaissons les principes : un enfant ne rechigne pas s'il est absolument sûr que son père a raison, et qu'ayant raison le père ne cédera pas. Vos remarques, vos ordres, même s'il espère y couper, il les attend, il les estime; il y trouve la preuve de l'intérêt que vous lui portez, bien plus que dans la faiblesse qui souscrit au caprice; il aime au fond cette vigilance et vous reprocherait confusément de la relâcher... N'est-ce pas, M. Astin? On réagit comme on peut. L'occasion était belle et je me demande pourquoi, une demi-heure plus tard, sous prétexte de ne pas priver Bruno du journal télévisé — où allaient passer les images de Bordeaux-Paris — j'ai rapidement traduit le dernier tiers de sa version.

XIV

La belle époque est terminée. Une autre commence dont je me défendrai comme d'un jusant. Cordés à quai, nous sommes tous ainsi, qui prenons le bonheur pour un port et qui louchons sur son niveau plus âprement que les marins sur les échelles de cote. Longtemps encore j'allais ouvrir à regret, fermer, rouvrir l'écluse.

Et plus que jamais me diviser, tendre l'oreille à mes deux voix : « Ne l'annexe pas, ne le perds pas. Il te prend tout, il ne reste rien pour les autres, l'injustice est renversée. Il a besoin de ce dont les autres n'ont que faire, la justice est sauve. Lutte contre qui l'éloigne, lutte contre toi. » C'était là, heureusement, un combat presque réglé d'avance. J'ai l'habitude sinon de me vaincre toujours, du moins de faire un vaincu. Ne suffit-il pas souvent de le souhaiter pour que les circonstances se chargent du reste?

Or les événements se succédaient. Le plus
grand, pour la famille, ce fut d'abord la réussite
de Michel, reçu vingt-huitième à Polytechnique.
Je dis : le plus grand. Je ne pense pas : le plus
important. Il était presque prévu. Mais pour la
galerie, qui recense seulement les gloires — ou
les hontes — de chaque tribu, qui les considère
comme ses récompenses — ou ses châtiments —,
avec l'admission de Michel, dans la « botte »,
du premier coup, dès la première année de pré-
paratoire, nous avions de quoi pavoiser. J'entendis bien vingt fois en une semaine la même
phrase aigrelette :

« Bravo, cet enfant-là vous paie de vos sacrifices! »

Ces sacrifices (point de costume neuf, une
petite voiture, nulle fantaisie, des comptes stricts)
ne m'avaient guère coûté : beaucoup moins que
d'autres dont je ne serais sans doute jamais payé;
et ils n'étaient tels qu'en fonction de mes petits
moyens, c'est-à-dire de mon propre insuccès dans
la vie. Je n'y voyais pas matière à félicitations.
J'y reniflais même de l'insinuation. *Cet enfant-
là...* Sans doute pensait-on que je n'aurais pas la
même chance, avec les autres. Je passe, en la
donnant pour rien, sur l'impression — pénible

à certains, paraît-il — d'être laissé sur place par
un brillant rejeton. La jalousie, à l'égard d'un
enfant, je connais ce malheur. L'envie, vraiment,
ne m'a jamais touché. Sans le souhaiter, sans
même m'y résigner, j'ai toujours pensé que les
miens iraient plus loin que moi, que mon effa-
cement leur permettrait de faire d'avantageuses
comparaisons, d'apprécier leur mouvement. Se
décourage moins qui ne s'est pas, d'abord,
essoufflé à rattraper un père important.

Un second événement, plus discret, fut (je
cite, évidemment Mamette) « la perte d'un *u* »
par Louise. Qu'elle ait eu besoin de cours de
marche, de maquillage et de maintien me laissait
rêveur; que ses cours aient porté leur fruit me
parut dans la nature des choses. Apprentie-man-
nequin à l'école annexe d'une maison de couture, où Marie Lebleye, sa grande amie, débutait
elle-même comme dessinatrice (rencontre non
fortuite), Louise fit son entrée dans la confrérie
à l'occasion d'une petite présentation d'été. Je
n'y étais pas. Mais Laure, toute honteuse d'elle-
même et réfugiée derrière la foule, crut, après
un certain *Paon,* robe de grand soir, et un certain *Phoque,* maillot une pièce, reconnaître sa

nièce évoluant dans un ensemble de plage. Puis
elle crut s'être trompée. On annonçait :

« *Le lézard,* porté par Loïse. »

Flanquée du lézard, la même Laure, effa-
rouchée, ne sachant qu'en penser, fut le même
soir ramenée par une Alfa-Roméo. Je félicitai
Louise. J'admirai l'Alfa-Roméo. Je serrai la
main du conducteur qui n'était pas descendu
de voiture et se révéla être le directeur d'un petit
casino de la Côte de Jade à la recherche d'une
présentatrice de vacances.

« Entre deux danses, m'expliqua-t-il, je fais
passer, en attraction, quelques modèles de confec-
tion de luxe, que les estivants peuvent acheter
sur place. Je prendrai volontiers Loïse pour deux
mois. Sa maison, qui contrôle le magasin local,
est d'accord. »

Il démarra, tandis que ma fille ajoutait que ce
stage serait pour elle une référence. Les mots,
stage, référence, me parurent sérieux. Du moins
avais-je grande envie qu'ils le fussent dans un
monde dont je ne parvenais guère à me faire
une idée plus clémente, plus exacte, que n'en
peut avoir une chaisière et où j'imaginais, dans
un envol de soie, de dessous, de caquets, des
compétitions aussi âpres que déloyalement par-
fumées.

« Bon! » dit M. Astin (qui pensa bizarrement : exemple type, messieurs, de courte antiphrase).

Mais l'idée que l'indépendance de Louise allait, en juillet-août, s'étendre du jour à la nuit, me fit tomber dans les noirceurs : « Tu démissionnes. Comme Bruno, jadis, tu lui laisses faire ce qu'elle veut, par compensation. »

« Tout de même, fis-je, seule, dans un casino, ça ne t'effraie pas?

— Tes trente gosses, ça t'effraie? répliqua Louise très sèche. Je fais mon métier et, ne t'inquiète pas, je le fais debout. »

Je capitulai. Il fut convenu que, d'Anetz, relativement proche, je pousserais une reconnaissance sur Saint-Brévin. Mais quand, à la mi-juin, les organisateurs d'un concours de beauté me prièrent d'approuver la candidature de ma fille, mineure, au titre de Miss Seine-et-Marne — candidature dont elle ne m'avait soufflé mot, croyant sans doute mon consentement superflu —, je refusai tout net. Je ne me sentais pas le courage d'affronter l'ironie de mes collègues. J'entendais déjà Bachelard : « Le veinard! Ça ne lui suffisait pas que son fils ait le plus beau crâne du département. Il voulait encore que sa fille en ait les plus belles fesses. »

Un troisième événement fut l'échec de Bruno à la première partie du bac. J'en fus très affecté (encore que je ne sois pas sûr de n'avoir pas fait ce calcul : « S'il redouble, après tout... Un an de perdu pour lui, un an de gagné pour moi »). Je supportai mal les commentaires :

— Ça, je m'y attendais (Michel).

— Un petit dernier, décidément sur toute la ligne (Bachelard).

— Quand un fils de prof se fait étendre, c'est que vraiment, il s'agit d'une cloche (*vox populi*).

— Il est gentil. Mais je me demande si les gentils, dans la vie, ne se recrutent pas parmi ceux qui n'ont justement que leur gentillesse à offrir (Mamette).

J'éprouvai de l'amitié pour Laure, qui protestait :

« Soyons juste. Il avait deux points d'avance à l'écrit. Il a perdu ses moyens à l'oral. »

On ne pouvait nier la timidité de Bruno — une fois franchie la grille — et j'y étais peut-être pour quelque chose. Sa faiblesse en anglais, matière où il avait précisément perdu les six points qui lui manquaient au total, pouvait aussi m'être imputable : je n'avais jamais voulu me séparer de lui pour l'expédier en Angleterre pendant les

vacances, comme Michel et le fait était d'autant
plus grave que, soucieux de mieux armer mes
enfants que moi-même dans un monde affamé
de techniciens, j'avais rompu avec de solides préjugés professionnels pour vouer mes fils aux
sciences et aux langues dès leur « sixième moderne ».

Réaction : j'ouvris l'écluse. Je décidai de
confier Bruno à Michel qui, pour la troisième
fois, rejoignait les Crownd à Nottingham et qui,
flatté de jouer les tuteurs, ne se fit pas trop tirer
l'oreille pour emmener son frère.

« Je te le renverrai dans un mois, pour le
bachotage et je te garantis que, d'ici là, il ne
prononcera pas un mot de français », m'assura-
t-il.

Pour régler les frais qui excédaient mes possi-
bilités, je vendis secrètement ma chevalière, après
m'être plaint de sa perte. Le plus dur fut de
conduire mes fils à la gare du Nord. D'abord
confus, très mortifié, tout près de perdre son peu
de confiance en soi, Bruno, peu à peu requinqué
par des encouragements du genre reproche
retourné (« Après tout, il ne t'a manqué que
six points »), n'osait exulter. Au dernier moment, il se pencha par-dessus la vitre, baissée à
fond.

« Tu me punis drôlement », dit-il.

Je rentrai, ruminant cette phrase qui changeait radicalement de sens, au gré de l'adverbe,
en français ou en argot; et le lendemain avec ces
dames du mair, tassées sur la banquette arrière,
je partis, tournant vainement la tête à droite,
pour *L'Emeronce.*

Il y ventait, comme sait venter le marin quand
il remonte la vallée et déchaîne ce grand miroi-
tement rêche où semblent s'écailler quelques
milliards d'ablettes. Il y pleuvait, l'eau trouant
l'eau sur un kilomètre de large, entre les saulaies
tordues d'ouest en est. Madame ma belle-mère,
véhiculée par Mademoiselle ma belle-sœur, se
hasardait jusqu'à la cale, lorgnait le banc de
ponte menacé par une crue tardive, jetait un
pleur sur la noyade probable des petites mouettes
naissantes et, grelottante, se faisait installer près
d'une flambée de frêne. J'étais seul, songeant :
« Ceci est un avant-goût de l'avenir. Si j'avais
épousé Marie... »

Une ondée me chassait vers le feu, à la satisfaction de Mme Hombourg qui, par moments
assez gâteuse, se grattait longuement la tête avec
une épingle à tricoter, puis, Laure absente, poin-

tait brusquement vers moi son dard translucide
et me soufflait quelque vieille bêtise. Par
exemple :

« Vous voilà seulet, hein? C'est la vie. Si vous
aviez épousé Laure, mon pauvre... »

Simple rappel, aussi vain que l'autre. On che-
vrotait : « Tiens, tiens, tiens! » On déraillait,
toujours à demi : « Ennuyez-vous, Daniel,
ennuyez-vous bien. Se mettre un peu à la diète
des siens, mon ami, rien de plus sain. Ça vous
redonne de l'appétit pour la famille. » Parfois,
du reste, elle redevenait, pour dix minutes,
l'oracle à roulettes de naguère. Comme ce matin,
où, bien reposée, fraîchette et touillant d'une
allègre cuiller un café au lait sursaturé de sucre,
elle dit soudain, sans autre préparation :

« Vous avez bien fait d'expédier Bruno chez
ces Brown, ces Crown, je ne sais plus comment.
Vous le chambrez un peu trop, comme vous
chambrait votre mère. »

Elle se tut, but à petits glouglous et reprit,
édifiée d'un coup d'œil :

« Bon, bon, ne faites pas le dogue, vous êtes
parfait, vous ne supportez pas qu'on égratigne
Maman. D'ailleurs, votre temps comme le mien,
j'admets, était celui des protectorats. Mais les
colonies, les enfants, aujourd'hui... »

Je me découvris, malgré moi :

« Vous en parlez aisément : vous, vous avez gardé Laure.

— Fichtre, s'exclama Mamette, hilare, je ne l'ai pas fait exprès! »

Je ne l'écoutais plus. Je pensais : « Test. L'absence désempare ou fortifie Bruno. Comment puis-je à la fois souhaiter l'un et l'autre? » Laure survint, qui rentrait du bourg sous un bruissant imper. Elle avait rencontré le facteur, elle apportait une lettre où souriait froidement Elisabeth II et qui, hâtivement décachetée, me livra deux courtes épîtres : une de Michel qui faisait son rapport, prudemment optimiste, et une autre de Bruno, presque aussi courte :

Michel does not allow me to write in French, Papa. I do not object. However, in spite of my accent, I am not as drowned up as you might think. I can manage.

Nothing special to tell you. Louise sent me a postcard from Saint-Brévin. Xavier another one from Argentières where he is camping. I also received your two letters, the second one with tax : you probably forgot that Nottingham was in England.

The day before yesterday we went to Sheffield

and saw a cricket match. To-morrow we are
going to Coventry. I am a bit surprised by the
Crownd. Not as you might believe : the girl is
not meagre, the food is good enough, the father
is quite an expensive man. It is true that he was
born in Malta.

With special permission and because it will
keep you warmer, it's in French... que je t'em-
brasse.

Signature sans paraphe : Bruno demeurait
sans orgueil. Mais il n'y avait rien là qui pût
m'éclairer sur l'essentiel. J'attendis d'autres
lettres qui, à la cadence d'une par semaine, ne
m'en apprirent pas plus. Alors j'attendis la fin
du mois, en faisant remarquer chaque jour que
des vacances aussi noyées pouvaient s'écourter
sans regret. Puis dès le 30, sans avoir fait à Saint-
Brévin l'incursion promise, je remontais à Paris
« pour m'occuper de très près du bachotage de
mon fils ».

A la gare du Nord, il ne sauta pas du marchepied, comme je m'y attendais. Il descendit posément, après s'être effacé devant deux jeunes personnes. Un mois d'absence n'avait pas changé
Bruno, apparemment. Il ne rapportait rien de

son voyage, hormis une cravate de club, don de
J. J. Crownd, junior. Il continuait à marcher
en se dandinant, de ce pas de collégien que
Louise, technicienne de la science ambulatoire,
estime « réservé aux anatidés ». Mais il y mettait
cette assurance qui rend légère la palme du
canard sauvage tandis que s'embourbe celle du
canard domestique. Migrateur, il avait une
autre lumière dans l'œil et, dans la bouche sans
doute, ces choses à raconter par quoi se font
valoir ceux qui sont enfin sortis de la mare originelle.

Les conservant pour lui, cependant, il ne fut,
de la gare à la maison, guère bavard. Je dus
meubler. J'avais préparé une homélie sur la
nécessité d'une revision complète, sur l'importance de l'enjeu : homélie presque mécanique,
adaptée de celle que je débite couramment, en
pareil cas, aux parents d'élèves. J'enchaînai en
lui proposant de lui servir de répétiteur. Il parut
gêné, rangea deux ou trois fois ses genoux, blo-
qués contre le tableau de bord.

« Ecoute, dit-il enfin, d'un air sérieux, je ne
peux pas me faire étendre en octobre. A Chelles,
j'aurais peur des tentations. Ça ne me sourit
guère, mais je crois qu'il vaut mieux que j'entre
en boîte.

— Comme tu voudras », fis-je, décontenancé.

Quand il descendit de la 4 CV et fut debout près de moi, j'aperçus un mince trait rouge sous l'aile droite de son nez. C'était une coupure de rasoir.

XV

OCTOBRE. Si je compte par mois, soudain, c'est qu'il arrive un moment où, comme dans l'histoire, l'interminable temps des enfances s'accélère, où tous les mois, pour un jeune homme, se mettent à compter. Avec le premier âge dont la courbe de poids monte à la verticale et certaines vieillesses, qui ont la chute abrupte des falaises, l'adolescence fait partie des âges galopants; et, à l'intérieur même de l'adolescence, la dix-septième année atteint un paroxysme, recompose ses lymphes, ses rêves, ses pensées, avec une rapidité de réaction chimique à qui l'air semble prêter un nouvel oxygène.

Le signal de cette grande poussée, ce fut, pour Bruno, sa réussite — de justesse — en seconde session. Quand je le vis revenir de l'oral et passer le portillon, trop calme, contenant sa joie, cherchant peut-être à me faire une mauvaise blague,

je sus tout de suite qu'il n'avait pas échoué. A
sa taille. Cent fois mesurée (sur la porte de sa
chambre qui en restait toute crayonnée), elle ne
gagnait plus que des millimètres. Mais pour la
première fois il l'employait tout entière, il re-
dressait le roseau.

« C'est toujours ça de pris! » dit-il, cinq minutes plus tard, comme je le félicitais.

Il n'aurait pu mieux s'exprimer. Si peu que
ce fût, il avait enfin pris quelque chose, cessé
d'être un sans grade, un sans titre. On blague et
je blague moi-même les peaux d'âne. Mais, à
beaucoup, elles fournissent justement une
seconde peau, qui protège l'autre. Elles habillent
ceux qui sont nus; elles les empêchent, au moins,
de grelotter d'humilité.

Novembre. Je vis mon été de la Saint-Martin.
L'année prochaine, il sera Dieu sait où, il ne fera
plus la navette avec moi dans la 4 CV.

Je ne l'aurai pas eu longtemps à moi. Mais une
année, cela me laisse encore des jours. Jamais je
n'ai été plus occupé de lui. Il va m'échapper, il
m'échappe... Spectateur privilégié, je regarde ce
départ et c'est souvent comme si je le revivais,
comme si j'en faisais mon affaire (dans l'affection

paternelle, ce fond d'égoïsme, cette rage de se
recommencer!). L'an passé, durant nos trajets,
Bruno parlait beaucoup, un peu à tort et à travers : c'étaient encore les piaillements du bé-
jaune. Il parle moins, mais de l'intérieur. Comme
ses cheveux, il commence à peigner ses idées, son
style, à éplucher les *tu sais,* les *dis donc,* à contrô-
ler ses vivacités plus rares, mais plus pointues,
plus efficaces. Mais entre deux saillies il laisse
souvent des phrases inachevées, se sert d'un
demi-mot, d'une expression dont la force vient
de ce qu'elle est atténuée. Il reste modeste, parce
qu'il est ainsi fait (je brûle d'ajouter : et parce
que, dans le genre, il m'améliore), mais sa modestie s'organise, devient têtue, ne se laisse plus
éblouir. Ses admirations sont en baisse, ses
estimes se fondent. A défaut de génie, il aura
du jugement.

« Si les vaches ingurgitaient l'herbe comme
nous ingurgitons de la philo, dit-il, elles donne-
raient un fichu lait. Elles, au moins, elles ont le
temps de ruminer. »

Certes, le grand défaut de Bruno, le manque
d'ambition, ne fait que s'accentuer. Cependant
s'il ne s'agit pas de lui-même, il peut trouver de
la fougue et souffrir des grandes démangeaisons
de la justice.

« Laure, en somme, depuis quinze ans, elle a tout fait pour nous et nous n'avons rien fait pour elle. Tu ne trouves pas ça criant? »

Décembre, voici qu'apparaissent, plus nettement, les effets de sa revision. Embicorné, sévère, hissé haut par la longue bande rouge du pantalon d'uniforme, Michel, qui n'a fait que deux apparitions depuis le début du trimestre, a envahi le vivoir. Le flanquent trois grands rigides, eux-mêmes flanqués de leur épée. Michel s'excuse de notre simplicité. Il est allé embrasser Laure dans la cuisine, mais rougissant de son tablier, il n'a pas eu le courage de la ramener pour les présentations et peureusement fière de lui, Laure, qu'il aurait pu combler en lui faisant un peu jouer le rôle de la mère des Gracques, n'a pas osé nous rejoindre. Malgré l'envie que j'en ai, je n'oserai pas moi-même faire un éclat. Je me contenterai d'être rogue, de penser : « Celui-là, vraiment, il m'aura aidé à lui préférer son frère. » Mais comme Michel, filant je ne sais où, dérive vers la porte, c'est Bruno qui l'accroche :

« Tu pars déjà? Tante n'a pas eu le temps d'astiquer tes cuivres. »

Michel se retourne, d'une pièce, rencontre
mon regard, perd contenance, esquisse un faible
salut militaire et s'en va, reconduit par la vieille
Japie qui halète sur ses talons.

« Tout de même, dit Bruno, il est... »

Un silence. Bruno se ravise, retient l'injure,
probablement le mot « moche » et, dans sa retenue, trouve par hasard une terrible formule :

« On dirait qu'il s'est trompé de famille. »

Et ce sera bientôt le tour de Louise qui a
pourtant sur Bruno, comme sur nous tous, le
délicat pouvoir du crêpe de Chine. Il s'en faut
de beaucoup que Bruno ait à son sujet les mêmes
appréhensions que Laure.

« D'ailleurs, ça la regarde », avait ajouté
Bruno, présent à la discussion.

Pour lui, la vertu de sa sœur n'est pas le saint
sacrement. Louise en disposerait, bêtement, qu'il
en serait sans doute offusqué : offusqué à cause
de la bêtise. Ce qui l'inquiète, ce n'est pas le
feu pour qui sont faites les salamandres; ce n'est
pas l'aisance dans le mystère qui permet à Louise
de vivre deux vies, une vie extérieure dont nous
ne savons rien, et une vie de famille où elle se
montre comme elle a toujours été, ouverte.

agréable, décorative, un peu futile et paresseuse, mais finalement bonne fille; ce n'est pas son goût pour les cohortes, qui font défiler à nos portes jeunes — et moins jeunes — garçons, comme pour les camaraderies féminines qui ramènent les attitrées, Marie Lebleye, Odile, une certaine Germaine, une certaine Babette. Non, ce qui agace Bruno, ce sont les références, les jauges de Louise : la couleur, le tissu, la coupe mode, B. B., Bettina, Margaret, le dernier film, la dernière chanson, la dernière première (il ne fait grâce qu'au dernier modèle du salon et, parfois, au dernier disque). Ce qui bientôt l'horripilera, c'est l'amitié de Louise pour la poudre que lui jettent aux yeux des gens qui, d'ordinaire, ne l'ont pas inventée; c'est son avidité de superflu, son respect des longs noms, des longs nombres, cette espèce de tropisme qui lui tourne la tête, invinciblement, vers le soleil du Pérou.

« Le chic, le fric, voilà ce qu'elle aime », grogne-t-il, en coin de bouche.

Plus tard, quand il aura plus de dent, quand il aura hérité du goût de Mamette pour le trait (le trait un peu trop tiré), il dira :

« Ma sœur est une fille de soie. »

Janvier. Cadeau de Bruno à M. Astin, pour le nouvel an : *Le père de famille moderne,* relié cuir.

Cadeau du même à sa tante : *Défendez-vous, Madame,* relié toile.

Cadeau du même à sa sœur : *Les recettes de Tante Jeanne,* broché.

Cadeau du même à son frère : *Discours de réception du Maréchal Juin à l'Académie française.*

Il ne nous a pas été possible de lui soutirer des commentaires, hormis d'énormes sourires. Nous avons seulement calculé que, malgré son penchant pour l'économie — il est même assez près de ses sous —, il avait dû vider sa cagnotte.

J'allais oublier — c'est d'un autre ordre — le cadeau qu'il a fait à sa mère. En dehors de la Toussaint et de la date anniversaire de sa mort, nous allons quelquefois sur la tombe de Gisèle, le 2 ou le 3 janvier (à l'instigation de Laure). Bruno, qui a eu dix-sept ans en octobre, avait spontanément acheté 17 œillets.

Février. Le 17, pour la première fois j'ai entendu mon fils parler d'une fille et la juger. Avec une indulgence amusée, Louise se moquait de Germaine, son amie, qui ne peut pas voir un garçon sans être persuadée qu'elle l'intéresse.

« Ouin, a dit Bruno, je dois devenir comestible. Elle me regardait, l'autre jour, je te jure, avec des yeux de limace pour la salade. »

Le 24 néanmoins, voyant que ses aînés avaient roulé le tapis et profitant de l'occasion pour entrer dans la bande, un Bruno pataud, appliqué, prenait des risques, se traînait des deux pieds dans un blues. Contre la limace. Il est exceptionnel que notre modeste vivoir serve à cette fin et quand l'honneur m'échoit, je me retire comme il convient. Pour une fois je n'en fis rien, j'observai Bruno, qui écrasait des bouts d'escarpin, faisant pesamment, bravement son boulot, sans autre plaisir que d'affirmer son âge. Et je fus très rassuré quand, passant près de moi, il pointa deux doigts, très vite, derrière la tête de Germaine, pour faire les cornes.

Mars. Il est à peu près enrégimenté parmi les jeunesses du coin. Louise, quand elle le débauche pour quelque sortie, me demande encore, plaisamment :

« Tu nous le prêtes, ton fils? »

Mais c'est Bruno qui répond au besoin :

« Non, j'ai une disserte en retard. »

Il importe que le refus ait au moins l'air de lui appartenir. S'il accepte, il m'en réfère, sous la forme la plus laconique, la moins serve qui soit :

« D'ac? »

Avril. Ai-je tu — et pourquoi? — l'affection (bourrue, maladroite, du genre veau échappé qui revient cogner à la mamelle) que Bruno conserve pour sa tante et dont la nôtre n'a jamais rien détourné? Depuis qu'il a un peu d'audace — un peu, point trop, *intra muros,* comme Japie qui n'aboierait nulle part ailleurs — Bruno se sent l'âme d'un réformateur.

Louise aurait aisément ce penchant : uniquement en ce qui concerne les tentures, les meubles, le dessin de la pelouse, la largeur d'un pantalon, la mise en valeur ou la condamnation d'un bibelot, tout ce qui, en somme, dans un style de vie, intéresse l'œil. Mais son goût très sûr est aussi très cher et trop radical pour être efficace auprès de sa tante, tout à fait dépassée. Michel, qui laisse Laure pantelante (je ne pense pas l'avoir dit : mais d'avoir fait cet aigle et même de l'avoir fait, comme tous les aigles, assez mé-

chant de la serre, trop porté sur son aile, je jouis,
auprès de ma belle-sœur, d'un crédit analogue
à celui du Seigneur, intelligent auteur de la
création)... Michel pourrait beaucoup. Mais il
ne s'occupe jamais de la maison, pour lui bonne
à laisser telle quelle, à effacer plus tard, comme
sa carrière doit effacer la mienne. Bruno, qui
n'avait pas de titres, Bruno qu'on se contentait
de chouchouter, mon Bruno, mon Brunet, ma
Brunotte, le cher petit conservé dans le sirop,
n'avait droit qu'à l'attention du cœur, point à
celle de l'oreille.

Ça vient. Bruno est demi-bachelier. Je vous
l'ai dit : un titre. Il a dix-sept ans, il court sur
les dix-huit qui rendent, aux yeux de la loi, les
garçons officiellement mâles et les autorisent à
passer leur permis de conduire. Le tympan de
Laure en devient plus sensible : d'autant plus
que le harcèlement du réformateur, presque
entièrement consacré à sa tante, lui fait hommage de sa ferveur. Cela n'atteint jamais la critique : Bruno prendrait plus volontiers le relais
du los, jadis chanté par Mamette. Cela n'atteint
jamais non plus les canzoni en l'honneur d'une
dame dont j'ai refusé d'être le Pétrarque. Cela
se veut pratique, quotidien. Guerre au fanchon.
Guerre au tablier. Guerre à l'*ecce ancilla*. Il va

chercher sa tante au fond de la cuisine, il lui prouve qu'elle n'a plus rien à faire d'urgent, qu'elle s'invente de la bricole, qu'elle est en train de céder à la manie de ses mains, il la pousse dans le vivoir, il la pousse dans un fauteuil :

« Tu te mets là! Ne rien faire, une minute, hein, tu peux faire ça pour moi. »

On discute et Laure écoute, avec de petits hochements de tête qui représentent son plus grand effort dans l'intervention. Bruno lui expédie la balle :

« Ce que t'en penses, toi? »

Ce qu'elle en pense, Laure, ce n'est jamais très en avant, mais ce n'est jamais non plus très en arrière. On a l'impression de lire un livre, d'auteur méconnu. Les livres aussi ne disent rien : il faut les tirer du rayon.

Mai. A mon endroit une seule réforme : je ne suis plus que le président de cette Communauté, dite famille, dont il est le dernier état parvenu à l'autonomie. Question de principe, qui permet de supporter l'allégeance, les subsides et cette base où veille encore une vague forme armée : la maison. En fait Bruno, qui ne voudrait pour

rien au monde avouer qu'il n'est pas tellement
friand de liberté, en use modérément. C'est pour
lui un exercice, pas toujours drôle, comme la
gymnastique matinale et il n'aime pas trop s'y
adonner en groupe. Il découvre que, si jadis les
enfants tremblaient devant leurs parents, il leur
faut aujourd'hui trembler devant leurs aînés, qui
mènent le jeu et dont l'autorité, encore en pleine
quête d'assurance, en plein mouvement, se
montre infiniment moins accommodante. Mais
ce qu'il ne tolérerait pas aisément de moi, il le
tolérera de garçons de vingt ans, petits caporaux
très secs autour de qui s'agglomèrent les puînés,
avides — dirait-on — de leurs coups de gueule :
« Alors, non, tu te grouilles? Qu'est-ce que tu
racontes, tu veux aller à la piscine, un dimanche,
avec toute la viande qui trempe dedans? T'es pas
un peu con? On va au volley, oui, c'est vu. Et
tâche de ne pas t'aplatir comme l'autre fois. Il
a plu, le terrain est un vrai merdier. Tu serais
chouette. » Le dixième dans la bouche d'un père
et il passerait pour une brute. D'un tel meneur,
Bruno dira simplement :

« Il est en os. »

Quant aux meneuses, il ne les affronte guère.
Il se rabat sur les tendrons, qui le sentent et
n'en sont pas flattés, mais trouvent ainsi, comme

lui, une contenance. Dans un groupe mixte où,
d'aventure, déambulent les trois Astin, on peut
être sûr que Louise est devant, pétulante,
aérienne, animant la rue, avec Marie Lebleye,
Germaine et leurs équivalents de l'autre sexe;
Michel est au milieu, bouclé dans son ceinturon,
rebouclé dans sa cour où l'on trouve moins de
caillettes que de filles-à-maman peut-être pré-
voyantes. Bruno, lui, est derrière, avec Xavier
et de petites nymphes qui bourrent leur soutien-
gorge. S'il s'avance, au mieux il n'accrochera
qu'Odile, également demi-bachelière, que Michel
tutoie, mais qui vouvoie Michel, alors qu'elle
tutoie Bruno qui s'embrouille dans les pronoms
et lui renvoie un vous pour un tu.

Le tu va l'emporter tout de même assez vite
et je n'en serai pas fâché. Bruno qui n'a pas la
familiarité naturelle a besoin de se déraidir.
Parmi toutes ces jeunesses qui nous envahissent
et dont la plupart sont les amies de mes aînés,
j'aimerais trier, sans en avoir l'air, et discrètement retenir, à son usage, les inoffensives.

Juin. J'écoute Bruno qui met au point ses
petites idées.

De quoi parlions-nous, l'autre jour? Du hasard,

je crois, corrigé par la loi des grands nombres.
« Ouin », faisait Bruno (du *oui,* du *ouais,* modi-
fiés par l'attraction de *hein :* interjection qui lui
est propre). Puis il a éclaté de rire, avant de
répéter :

« Ouin, je vois. En somme, tu es mon père, je
suis ton fils, ça colle, on ne fait pas exception à
la loi des grands nombres. Mais au départ c'était
du pur hasard : toi et moi nous ne nous sommes
pas choisis.

— Après, si! » ai-je soufflé.

Je pensais : « On ne choisit rien ni personne.
On refuse ou on accepte : choix mineur. » Je ne
pouvais pas le dire. Il est vrai qu'on ne choisit
pas ses parents, qu'on choisit à peine sa femme
— offerte par une rencontre —, qu'on choisit
rarement ses enfants — la plupart nés d'une
précaution mal prise — et encore moins de les
faire tels qu'ils sont; c'est même ce qui rend si
compliqués, si bêtes, les problèmes de la famille.
Mais on ne désabuse pas les débutants. Bruno
n'est déjà pas tellement optimiste. Que Bachelard, dans un de ces speechs dont il a le secret,
vienne à exalter les chances de la jeunesse, jamais
tant aidée qu'aujourd'hui, Bruno me confie en
rentrant :

« Possible. Des chances, vous en aviez moins,

peut-être, mais vous saviez quoi en faire. »

Et si j'enchaîne, rappelant que chaque génération a toujours fini par jeter l'ancre sur une
idée, Bruno se lance dans les paraboles :

« Je ne voudrais pas te vexer, mais ce n'est pas
facile de venir après vous. Qu'est-ce que vous en
avez tripatouillé, des idées! Ça me fait penser
au mixer de Laure : il mélange tout, il pulvérise
tout, si fin, si fin, que personne ne sait plus ce
qu'il mange. »

Aucun appétit pour la gnose. Cependant
Bruno ne refuse jamais la discussion (qu'il
appelle *palabre*), comme Michel, qui se contente
de trancher ou comme Louise, qui la trouve
assommante et s'en désintéresse complètement.
(Pour Louise, tout ce qui n'est pas beauté, mode
et plaisir s'appelle « le reste »... parmi le vaste
quoi elle ne s'enfonce jamais. Cela comprend la
philosophie comme la philathélie. Il y a de très
beaux timbres, mais voilà : elle ne fait pas col-
lection.) Bruno, lui, opine volontiers et si, dans
le peu de prix qu'il attache à ces opinions, je
reconnais bien ma manière, leur contenu me
déroute complètement. J'avais déjà remarqué
chez mes élèves ce recul de l'hypocrisie dont je
ne sais quel antibiotique, dissous dans leur salive,
détruit le virus, comme la pénicilline est en train

de détruire la vérole. Bruno a des scrupules — et comment! — mais ce ne sont pas les miens. Il a son code, mais pour lui il n'y a strictement pas d'apparences.

« Tu as su? Le fourreur de la rue Jean-de-Chelles, eh bien, il épouse la fille de sa femme de journée. Trente ans de plus trente millions, merde alors! Faire la putain, encore, on peut arrêter. Mais putain à vie, au nom de la loi, ce n'est pas drôle. »

Nul esprit de révolte, pourtant : pas plus que de soumission. S'il respecte peu, il fulmine encore moins. Les choses sont ce qu'elles sont : pas belles, c'est dommage, on n'y peut rien. L'histoire est une machine à fabriquer de la bêtise et de la méchanceté; la plus récente le montre assez, pour qui, faute de l'avoir subie, Bruno n'éprouve ni plus ni moins d'horreur que pour les cruautés assyriennes, les assassinats de Néron ou la Saint-Barthélemy. Pour lui, comme pour Michel, comme pour Louise, les guerres ne sont pas un sujet de conversation : qui en parle se date. Nous avons eu nos morts dans l'affaire : chapeau! Puis silence. Puis recul et dans le recul, un refus : il n'est pas dans le coup, il n'est pas fou, il n'accepte pas l'héritage. L'actualité ne l'en fera pas démordre. D'un engagé volontaire qui s'est fait tuer, il dira, sans amitié, sans mépris :

« Il avait le virus. »

Et d'un superbe Mau-Mau qui, à la une de *France-Soir,* brandit un non moins superbe javelot :

« Au lieu de s'entraîner pour passer les 75 mètres! »

Olympique refuge des doux. La force pour l'arène : là, les Ricains ont le droit de « faire saigner » les Russes ou vice versa. Là, mon pacifique s'échauffe. Vous l'entendrez rugir, les soirs de catch télévisé, devant cette pelote de membres que font deux monstres velus, suants, dont on ne sait qui fera le serpent et qui le Laocoon :

« Vas-y, tords-le, mais tords-le donc! »

Si du sport nous passions à l'art, à la littérature, le saut pourrait paraître inconsidéré. D'une bonne toile, pourtant, d'un livre qu'il a lu d'une traite, Bruno dira, laconique :

« Ça cogne. »

Trente élèves m'ont appris ce que signifie aujourd'hui ce langage et je n'en suis pas peu fier : car j'en connais de très savants qui se penchent, critiquent leur émotion avec une prudence de médecin à l'écoute d'un cœur et ont l'oreille moins sûre au bout de leur stéthoscope.

XVI

Quatorze juillet. Nous devrions être partis, mais
Louise, qui n'était libre qu'à partir du 13, nous
a retardés. Nous faisons nos valises pour demain.
Seul dans ma chambre, je prépare la mienne.
Par la fenêtre grande ouverte m'arrivent de loin-
taines bouffées sonores où s'embrouillent les sifflets de la gare et les patriotiques sonneries de la
clique, sans doute réunie autour du monument,
dans le parc de la mairie. Dans le couloir on
traîne longuement la grande malle d'osier. J'entends Bruno qui proteste :

« Tu ne pouvais pas m'appeler, non? »

Il dévale l'escalier, riant aux éclats, je ne sais
pourquoi, avec une gaieté d'enfant dans une
gorge d'homme; et de ce rire, qui m'allège et
m'agace, je ne saurais dire si j'ai envie qu'il se
prolonge ou qu'il s'arrête.

L'heure a sonné pour lui, pour moi. Fin juin,

il a passé la seconde partie de son bachot, sans
éclat, mais sans difficulté majeure. Finie, la
navette Chelles-Villemomble, dans la 4 CV.
Finie, notre petite vie à deux. Je retrouve ma
panique. Par quoi, maintenant, va-t-il m'être
enlevé?

Ce n'est pas le vrai problème, je sais, qui se
pose autrement : que vais-je en faire? Et mieux :
que va-t-il faire? Michel n'a pas hésité, qui s'est
mis tout de suite sur ses rails et qui termine sa
première année de Polytechnique à la satisfaction générale (un peu fatigué, toutefois, et
sans avoir réussi à reprendre plus de trois places
sur les chefs de file de la botte). Il n'y a pas eu
non plus de problème, en somme, pour Louise,
qui nous a imposé son choix et qui commence
à gagner quelque argent (elle m'a offert une pension que j'ai acceptée pour ménager ses suscepti-
bilités, tout en la réduisant de moitié pour ménager les miennes). Bruno, lui, n'a pas de voca-
tion. Interrogé à ce sujet, il s'est toujours montré
vague, évasif :

« J'ai le temps. On verra. »

Ou encore :

« Je ne suis pas encore reçu. Ne me porte pas
la guigne. »

Ai-je tellement cherché une réponse? L'incer-

titude s'infléchit mieux. On s'excuse, on se répète : « Après tout, il a raison, il peut voir venir,
le bachot n'est rien. Qu'il fasse d'abord une
licence... Il en aura au moins pour trois ans. »

Mais quelle licence? La plupart des pères
aiment se répéter chez leurs enfants, préparer
leur avenir avec du passé; j'avais le vice inverse,
j'ai poussé Bruno sur « moderne », l'écartant
ainsi, non seulement, de ma propre carrière, mais
de la licence ès lettres. Il se trouverait même un
peu handicapé pour faire sa licence en droit,
chère aux familles et si commode pour jouer les
prolongations. Je ne lui crois pas assez de moyens
pour une licence ès sciences, à plus forte raison
pour les grandes écoles. Il n'a pas non plus le
don des langues qui le ferait retomber, d'ailleurs, dans le professorat. La pharmacie, la méde-
cine, je ne l'y vois guère et je songe au fonds,
au cabinet, qu'il n'acquerrait pas sans aide. Je
suis à peu près incapable de la lui apporter
(Michel, lui-même, sauf mariage riche — et il ne
l'ignore pas, je jurerais qu'il y pense — ne sera
jamais plus tard qu'un bon ingénieur sans capi-
taux, un appointé de première classe attaché à
la fortune d'autrui). Technique, administration,
commerce... Restent évidemment beaucoup de
portes dont je ne sais comment graisser les gonds.

Cette ignorance des pères, enfermés dans leur village de routines! Cette déréliction de paysans dont le gars va être pris au conseil! Si Bruno n'a pas d'idée précise, je n'en ai pas non plus, je n'ai pas envie d'en avoir. Pour être délivré de toute comparaison, pour n'être pas offusqué, concurrencé dans sa spécialité par l'un des siens, je souhaite seulement — comme il est toujours préférable pour les enfants d'une même famille — qu'il se singularise, qu'il fasse *autre chose*. Et qu'il ne le fasse pas loin.

On frappe, on pousse la porte. Voilà Bruno, qui demande : « On peut? » jette un coup d'œil au portrait de sa mère et, lui trouvant un air penché, le redresse d'un doigt. Un autre pas : voilà Louise que précède son parfum.

« Papa, j'ai réfléchi », fait Bruno, tout à trac.

Aurait-il choisi un métier, brusquement, sous l'égide de Michel?

« Tu m'as demandé ce que je voulais », continue Bruno.

Autre affaire. D'un coup sec je referme ma valise. Aurait-il changé d'avis, opté pour l'Angleterre? Michel, lui-même, qui a besoin de repos, annonçait hier qu'il resterait un mois à *L'Eme-*

ronce avant d'accepter l'invitation d'un de ses camarades de Louis-le-Grand, fils d'un industriel du Midi et qui, sous-admissible l'an passé, vient de réussir au dernier concours. Mais sans Bruno mes vacances sont gâchées.

« Rassure-toi, dit Bruno, pas question de te fausser compagnie. On va seulement abuser de toi. »

On : c'est une délégation, utilisant les pouvoirs bien connus et la créance présente de Bruno.

« On aimerait emmener des amis à *L'Eme-ronce*. Ils feraient leur propre tambouille et camperaient dans le petit pré.

— Qui? » murmure M. Astin, méfiant, mais dont le seul mot est un consentement.

Ce n'est pas que ça l'emballe, loin de là. Il grognerait volontiers : « Anetz, mon isoloir, mon reposoir, ils vont m'en faire un foutoir. Quelle rage de rassemblement ils ont, tous! On se mélangeait moins de mon temps. La famille, ce n'était pas la bande. » Mais M. Astin est un père moderne, ouvert et généreux, qui ne ronchonne qu'en dedans.

« Marie », propose Louise, s'avouant ainsi l'inspiratrice.

Marie Lebleye, heu, enfin, c'est une intime, je

ne l'aime pas beaucoup, elle a été horriblement
gâtée par le gros comptable barbu du 14; elle
a pourtant une façon de traiter père et mère
qui ressemble étonnamment à celle de ces jeunes
Etats, dont l'indépendance indiscutée reste
ulcérée d'avoir jadis été sujette.

« Avec sa cousine Odile, dit Bruno, ça fera
une tente. »

Odile, bon, je connais mal les parents qui
tiennent une agence immobilière près de la
vieille église. Mais, sans autre génie, la petite
est charmante, noyée sous un flot de cheveux
d'où émerge un peu de nez, un bout de visage,
éclairé par le feu noir de l'œil. Je l'ai surnommée, *in petto,* « la balise ».

« Roland, dit Louise.

— Xavier, dit Bruno. Ça fera une autre
tente. »

Le premier est le fils du percepteur, le second
notre insignifiant voisin. Je supporterai l'un et
l'autre, si nous nous en tenons là : *L'Emeronce*
n'est pas une station de camping. Nul autre nom
ne tombe, du reste. Louise sourit de biais, décou-
vrant une canine : le coup était monté.

« Bien entendu, dit M. Astin, personne sans
l'avis des parents. Vous n'improvisez pas, je
pense?

— En principe, dit Louise, ils dòivent nous rejoindre à Ancenis, par le train. Si tu avais dit non, ils campaient tout de même à Anetz, mais dans le petit bois du père Cornavelle. »

Pirouette. Elle file, suivie par Bruno, qui se retourne deux fois et dont le sourire, tout différent, a l'air de s'excuser.

XVII

De la cale, j'observe la bande qui marsouine en
Loire. Un lumbago m'empêche de me baigner
et Louise est restée près de moi, ce qui est rare :
elle ne doit pas pouvoir entrer dans l'eau aujour-
d'hui (chose naturelle, c'est bête, je rougis d'y
penser). Laure, fait encore plus rare, s'est laissé
entraîner. Elle nage mal, là-bas, mais avec de
beaux bras inconnus.

« Curieux, dit Louise. Laure s'habille mal,
mais se déshabille bien. »

Exact : Laure est de ces femmes qui se gâchent
le corps dès qu'elles mettent quelque chose
dessus; et ce sont malheureusement celles qui
en mettent le plus. On n'en dira jamais autant
de toute cette jeunesse. Dieu sait si elle en hisse
de la peau! Comme un drapeau.

« Tu fais ta carpe, reprend Louise. On est
trop, hein? Nous te fatiguons, nous te secouons
tes vacances.

— Non, vous m'étonnez, parfois, mais ce serait trop long à dire. »

Tout est toujours trop long à dire pour moi, qui ai la langue mal reliée au cerveau. Il est vrai que ces vacances sont différentes des autres. D'habitude, à *L'Emeronce,* j'étais avec les miens; cette année, je suis à côté. Je constate, encore une fois, mon retard. J'ai passé ma vie à l'être : d'une découverte, d'une préoccupation, d'une mesure. Je sais que c'est fatal; que les parents le sont toujours, qu'ils n'arrivent jamais à faire le point, car, leurs calculs à peine faits, ils s'aperçoivent que leurs enfants les ont faussés, en poussant plus avant. Les trois miens, à Chelles, sortaient plus qu'ils ne recevaient; et quand ils recevaient, tout le monde s'observait, freiné par l'austère odeur dont M. Astin doit imprégner les murs. Sur le pré de *L'Emeronce,* on se relâche. Comme le veut l'usage paysan du père Cornavelle, qui a fini par prévaloir dans toutes les bouches, je ne suis ici, en short, que M. Daniel, sans dignité particulière. Mais j'ai du ventre, un lumbago, je ne suis pas. Tout va trop vite, ils sont si différents, si libres, et pourtant, si tranquilles...

« Roland, Marie, ça t'embête? dit encore Louise.

— Un peu, oui. »

Louise s'en va, découragée par mon mutisme
(ou par ma réponse?). Je reste seul en face d'un
liseron, dont la fleur en forme de haut-parleur
s'ouvre pour ce menu concert d'oiseaux que je
préfère infiniment au cha-cha-cha trop souvent
craché par le poste à transistors de Marie Lebleye. De celle-là je me passerais volontiers. Oh!
je ne suis pas bégueule, les pourcentages n'ont
pas tellement changé; les bonnes petites de 1930,
dont Papa-Maman, archi-sûrs de leur virginité,
ménageaient les oreilles en soufflant aux amis
qui en racontaient de bonnes : « Voyons, plus
bas. Mimi pourrait entendre... » les fausses petites oies, il en passait quelques-unes à la broche.
Beaucoup plus qu'on ne croit même. Autant,
sinon plus qu'aujourd'hui. Ce n'est pas moi qui,
feignant de réciter mon lexique, murmurerai
dans le dos de Marie, comme le fait Mamette,
toujours demi-lucide : « Poule, oiseau gallinacé,
dont la chair est appréciée. » Roland, Marie,
tant pis, je ne savais pas, ce n'est du reste pas
voyant, les sexes restent bien séparés sous les
tentes orange plantées au ras de l'herbe près
d'un repoussis d'ormeaux (Xavier-Roland) et
une touffe de gratterons (Marie-Odile) qui s'accrochent aux jambes. Mes soupçons tiennent à la
fréquence de leur côte à côte, à une certaine

densité de leur regard, à cette espèce de bonheur
des hanches dont balance le couple le plus secret.
Louise, interrogée, n'a rien nié, rien affirmé.
« Roland, Marie, oui, peut-être... », a-t-elle dit
sans étonnement, sans inquiétude, sans curiosité,
comme si c'était seulement leur affaire à ces
deux-là et la chose la plus naturelle, la plus
négligeable du monde. Roland, Marie, même pas
de conjonction, ni fiancés, ni amants, l'un sur
l'autre copains, peut-être et peut-être pas, qu'importe! En ce qui les concerne, en effet, qu'importe, je ne suis pas leur père, je ne suis que très
vaguement responsable de l'occasion par-devant
le percepteur et le comptable (responsabilité
vague qui, pourtant, me harcèle, par moments,
comme une mauvaise dent). Bref, s'il y a quelque
chose, ce qui m'ennuie le plus, c'est que ce quelque chose soit aussi peu coupable. Aussi translucide, calme, indifférent. Pour eux comme pour
les miens. Et puis, enfin, quoi, si les parents ne
savent rien, pourquoi en saurai-je plus de mes
propres enfants? Laure, à qui j'en ai fait discrètement la remarque, ne me sera d'aucun secours :

« Oui, j'avais cru voir, aussi. »

Autre forme d'indifférence : celle du bénitier,
source des humides niaiseries :

« On ne se marie plus de la même façon, vous

savez. Ne vous mettez pas martel en tête, comme
d'habitude. »

Comme d'habitude, si. Mes enfants ont des
yeux. Ils ont des sens, en un temps qui les exa-
cerbe et où jamais pourtant n'a été plus long le
temps des études, plus éloignée la date à laquelle, métier en main, on peut songer enfin à
élargir son lit. L'heureux Moyen Age mariait ses
garçons très tôt, ses filles dès la nubilité : pas
de problème. Quand il s'est posé, violant la
nature, l'hypocrisie — comme toujours — en a
fait son affaire. Baisez-vous, taisez-vous, les
oreilles amies vous écoutent. Et coule, salive à
romance, lessive à soupçons. Vint mon temps, où
sont apparues les garçonnes, encore coupables et
faraudes de l'être! Pas pour longtemps : le péché
meurt. Voici qu'apparaissent maintenant les
Roland, les Marie, leurs pareils : pas d'attente,
pas de boutons, pas de problème; ma pureté,
c'est ma franchise. Et vous, qui êtes-vous mes
trois? Je vous regarde.

Toi, Louise, si proprette de linge, blancheur
Persil, embaumant les douze fleurs, mais comme
privée de peau intérieure à laver. Toujours
d'accord avec ton corps, dont l'aisance est d'une
femme, mais peut-être te vient de ton métier, lui-
même si exposé. Une affreuse formule d'étudiant

m'empeste les lèvres : *je ne mettrais pas ma fortune en actions sur son pucelage.* Dieu merci, je n'ai pas de fortune, mais j'ai beau dire, moi qui t'ai lâchée trop tôt, qui t'ai sacrifiée à ton indépendance, j'espère un peu, beaucoup, que tu es encore ce que tu pourrais être, après tout sans miracle. Si brute qu'il soit, si faneur de femmes (et ce n'est pas mon cas), tout homme attend de sa fille la résistance qu'il attaque ailleurs.

Et toi, Michel, qui rendrais d'autres pères tranquilles, qui as les reins solides, es-tu donc destiné à te servir d'eux seuls? Marie est occupée et, dans un sens, je m'en félicite, parce que je suis indécrottable, risible, vieux jeu, tout ce qu'on voudra, mais en tout cas peu disposé à croire qu'on doit ouvrir l'œil sur sa fille et le fermer sur son fils, s'il a la chance de pouvoir discrètement, sans risques, s'essayer (j'allais dire : s'essuyer) sur la fille d'autrui. A ta portée il n'y a que la petite Odile, qui te fait si peu, un peu tout de même, je le vois bien, baisser la tête.

Et toi, Bruno, si différent, est-ce vrai ce que je crois deviner? Près de la même Odile, ce léger trouble...

Ce n'est rien, ce n'est rien du tout, bien sûr, ce n'est pas sérieux. Pas prude, on ne l'est plus,

mais prudente, pas timide, mais retenue, Odile
n'est pas Marie. Elle est seule disponible, voilà,
elle est ravie d'être entourée par ce polytechnicien qui hier encore marchait très au-devant
d'elle, par ce petit bachelier qui s'efforçait de
marcher à la même hauteur, et qui tous deux,
ça ne se fait plus, refusent de s'empresser auprès
d'elle, ne font ni de simagrées ni de marivaudage,
bousculent la fille au besoin, mais hument ses
cheveux, lui tendent la main pour agripper la
sienne quand elle saute sur la berge et ramassent
par hasard son panier à provisions, alors qu'ils
ne songent jamais à porter celui de leur tante.
Gentille avec l'un, gentille avec l'autre, pas tout
à fait de la même façon, le premier ayant droit
à plus de considération, le second à plus de
confiance, Odile s'assure de son mètre cinquante-
cinq, trouve une rêche voix de caille pour rappeler, *hé, les garçons,* pantalonne tant qu'elle peut,
tire parti pour canoter de farouches petits muscles, arbore en un mot une camaraderie de bon
ton. Pour un peu elle s'excuserait d'avoir de
la poitrine.

Mais elle en a : sous le regard mouvante. Et
le soir quand s'est tue la radio portative et que
les hulottes prennent le relais, je sais pourquoi
ils se retournent, mes fils, une fois, deux fois,

vers le petit pré où la fermeture Eclair de la
tente vient d'être tirée, où palpite la toile, touchée d'un genou, touchée d'un coude, peuplée
d'un corps qui se dépouille de bien peu de chose,
mais dont la nudité n'avait pas le même sens
sous le soleil.

XVIII

Cinq ou six mouettes, dont le vent étire les cris, piquent à tour de rôle sur un héron cendré qui s'approchait du banc central, leur fief, pour y gober, d'un tour de cou, ces œufs mouchetés pondus dans un trou de sable. Le héron se courbe à chaque passe, agite en vain le poignard de son bec et, dégoûté, finit par s'enlever, d'un battement lourd et mou de piètre voilier, que poursuivra longtemps le strident ballet blanc.

« Rare, dit Bruno. Pour une fois le plus petit fait la loi.

— Question de finesse de vol », dit Michel.

Dans l'eau qui nous vient à mi-cuisse — pour Xavier et Odile presque au nombril — nous avançons, contournant les trous, vers la nappe mince où sont tendues nos cordées. Mes fils, les voilà très frères d'aspect. Homothétiques, dirait

Michel. Le décalage s'est atténué. Mais dans le souci qu'il a de son nimbe de tête à X, dans le soin qu'il apporte à rectifier ou à compléter Bruno un demi-ton plus haut, on sent que Michel s'en inquiète un peu, tient à marquer la distance : il n'a jamais déployé tant d'assurance. Odile, puisqu'elle est là, en est la pierre de touche.

Bruno vient de retrouver un taquet, il s'est baissé, il tire sur le cordeau : au troisième hameçon, une forte anguille arrive, qui fouette rageusement. Bruno, comme son frère, déteste décrocher ces bêtes; il se relève une seconde, sans doute pour invoquer mon aide. Mais Michel est devant lui et, dans son ombre, Odile. Bruno se rebaisse, décroche l'anguille, gluante et renouée, la tend à son frère qui recule bravement.

« Ben quoi, dit Bruno, simple téléostéen reptiliforme! Tu ne vas tout de même pas aller chercher ta rapière. »

Un point pour toi, bonhomme.

Il m'amuse, quand il cherche à s'affirmer aux dépens de Michel, sensible du sourcil et qui, chaque fois, change de camp, se guinde. (Ce coup d'œil! On dirait qu'il prend soudain mon âge,

qu'il devient un vieil oncle prêt à grogner : ces
gosses sont d'un irrespect!) Le prestige de Michel,
pourtant, n'en est guère entamé, même auprès
de Bruno qui, en définitive, ne fait pas le poids.
S'il n'est plus cadet — puisqu'il aura dix-huit
ans dans un mois — Bruno reste junior en face
d'un frère qui vient de passer le cap des vingt
et un, qui se classe senior. La partie reste inégale.

Sur l'eau, évitant toute compétition, dont
l'idée seule l'offusquerait, Michel laisse partir
Bruno et, si son frère se hisse à la pointe de l'épi
noyé, il part à son tour, passe devant lui sans
daigner s'en apercevoir, attaque le chenal qu'il
traverse de la bouée noire à la bouée rouge, en
plein courant.

A terre, Michel ne s'alignera pas pour un cent
mètres. Mais s'il doit foncer, à la demande de
Laure, pour rattraper la voiture de l'épicier
ambulant qui a oublié de nous servir, Bruno se
lancera vainement sur ses talons. Michel sprinte
alors et, immanquablement, de la maison à la
cale, lui prend dix mètres. (Ce puissant mouvement de côtes, quand il revient, calme et
bouche close, auprès des filles. On ne débite plus
de fadaises, mais seulement de l'air. Joli-Cœur
n'a plus droit qu'à l'emphase du muscle.)

Parmi la bande autre handicap : Bruno a du

trait — ce qui n'arrange pas forcément les choses — mais peu d'autorité. C'est toujours Michel qui oriente les palabres, les distractions, les promenades. Si on se met à danser, désastre : Bruno pilonne. Au bridge, au rami, on le conseille ou on l'engueule. La leçon de conduite qu'en vue du permis Michel lui octroie volontiers, chaque matin, résume assez la situation.

Il n'y a vraiment que Xavier qui puisse lui servir de repoussoir et Roland qui arrange un peu ses affaires, qui rajeunisse Michel en gardant, sur un certain chapitre, son douteux avantage.

Mais c'est justement pourquoi chez Michel, Odile intéresse, sinon le coq, du moins les plumes du coq.

Et Bruno n'est pas si mordoré.

A quoi rime, d'ailleurs, cette parade? Si elle m'amuse, chaque jour un peu moins, elle m'agace, chaque jour un peu plus. Maman disait : « Je n'aime pas que les jeunes gens s'occupent des jeunes filles sans gravité. Mais l'ennuyeux c'est qu'alors ils ont le plus souvent l'air ridicule. » Le ridicule a disparu, avec la gravité. Ils ont inventé les femmes petits copains pour

passer précisément des petits copains à la femme;
mais nous n'avons trouvé, nous, les pères, aucune
attitude qui convienne à cette période de transition; nous sommes en porte à faux, incapables
d'approuver, de désapprouver et même de savoir
à quoi nous en tenir, les genres n'étant plus
tranchés, les niaises disparues comme les déniai-
seuses pour céder la place à ce que tous ces garçons appellent « une fille » sans plus (une fille,
le sexe qu'ils n'ont pas. N'est-il pas caractéris-
tique que le mot ait perdu son sens désobligeant,
dans leur bouche, comme du reste son sens de
filiation, en même temps que disparaissaient de
leur vocabulaire le mot demoiselle, trop mignon,
le mot « pucelle », trop précis et l'adjectif
« jeune », qui, devant fille, signifiait la même
chose?)

Rien ne m'empêchera pourtant de penser que,
pour une fois, je ne suis pas en retard, que ce
sont eux qui sont en avance. Bruno surtout.
Voilà un gosse (attention, M. Astin, depuis que
Bruno est un jeune homme, vous aimez le traiter
de gosse). ... Voilà un garçon qui a tout juste son
bachot, dont le seul problème, le problème
immédiat, urgent, est de décider... enfin, du
moins, d'examiner avec moi ce qu'il va faire de
son avenir... enfin, du moins, de sa prochaine

année. Il ne s'en inquiète pas une seconde. Il ne
m'en a pas retouché un mot. Il a même envoyé
paître son frère qui — pardi! Tout lui est avantage — l'accrochait sur le sujet :

« Oh! dis, ça va, ce n'est pas ton rayon. »

Faire figure devant Odile lui paraît plus pres-
sant. Il n'y réussit guère, mais s'en aperçoit mal,
car Odile, qui a le même âge que lui, avec la
petite avance des filles, sait ce que c'est et le
ménage. Sauf Michel, les autres ne lui font point
d'avanie majeure; il est, avec Xavier, leur benjamin de service. La même raison qui leur fait
remiser Papa — ou M. Daniel — à côté de Mamette ou de Laure (vieillir Papa, c'est se vieillir
soi-même; comme pour nous, rajeunir un enfant,
c'est nous rajeunir nous-mêmes) leur commande
de traiter Bruno en catéchumène. La seule féro-
cité — calculée, calme, embauchant justesse et
justice — lui vient de Michel. Bruno écrase le
pied d'Odile qui couine. Michel palpe le pied,
dodeline du chef :

« Ce n'est rien, dit-il. Excuse l'éléphanteau. »

Bruno, expédié au bourg pour les courses,
revient avec deux kilos de poires, les premières,
qui sont évidemment coûteuses :

« Elles ont mille francs par jour à dépenser,
dit Michel. Elles pourront jeûner demain. »

Bruno, candide, s'approche de Marie qui, un peu à l'écart, tortille du nylon sur une pierre plate, au bord de l'eau.

« Tout de même, dit Michel, tu ne peux pas la laisser laver sa culotte. »

Alors, parfois, Bruno se retire, se souvient que j'existe, que de loin j'assiste à ses déboires, en me disant, sans conviction, que c'est pain bénit, qu'on ne brûle pas les étapes, qu'il ne fallait pas qu'il y aille, tu-tu, qu'il ne fallait pas y aller, mais que pourtant mon petit gosse, non, je n'aime pas le voir vexé, diminué, même si ça me le ramène, même si ça lui fait du bien, si ça lui coule du plomb dans la tête. Et je le laisse rager en silence, sans rien lui demander, sans toucher à l'écorchure; je le laisse afficher une superbe indifférence, contredite par le sifflotement, tss, tss, que nous connaissons tous. Ou bien je lui demande, sous un prétexte quelconque — poste, coiffeur, libraire — de me conduire à Ancenis, pour lui permettre, en principe, de se perfectionner, mais surtout de prendre ma place dans la 4 CV. Ce n'est pas moi qui lui dirais quoi que ce soit sur la curieuse façon qu'il a de passer les vitesses : la satisfaction toute neuve du chauffeur vaut bien le sacrifice de vieux pignons.

Ma patience s'use pourtant : c'est bien la première fois qu'à *L'Emeronce* j'aurai compté les
jours. Outre la rivalité de mes fils, cette bêtise,
je n'aime pas cet excès de tam-tam, de gigues,
cette rage qui dévore, qui épuise les distractions
et qu'accompagne une sainte horreur des sujets
sérieux (ah, non, la barbe, on est en vacances).
Je n'ai pas connu la voracité du plaisir, le peu
que j'en prends ne me fatigue pas. « N'en pas
trop goûter pour ne pas se dégoûter », disait
ma mère, qui n'y goûtait pas du tout. Eux, ils
engloutissent. Je commence à trouver saumâtre
qu'à bout d'invention certains, parfois, ne retiennent pas un bâillement. Les invités ne disent
trop rien. Louise ne cache pas qu'elle commence
à s'ennuyer :

« Pêche, bateau, bain, pêche, bateau, bain...
En dehors de l'eau, *L'Emeronce* n'a pas beaucoup de ressources. »

J'ai pourtant, à leur demande, en partie gâché
la paix de mes vacances. J'avais fait un calcul :
me rapprocher de mes aînés, me faire accepter
d'eux, les comprendre. Ils m'ont — sauf pour les
bricolages — laissé le plus souvent sur la touche
et j'arrive de moins en moins à prévoir leurs
réactions. Un de leurs leitmotive, par exemple,

est « l'accoutrement de Laure ». Piquée, croyant faire un méritoire effort, voilà que Laure apparaît, un matin, en pantalon. Succès? Pas le moins du monde. Tollé. Louise me souffle à l'oreille :

« Non, tu as vu comme elle s'est affublée?

— Comme toi, comme tes amies... Après tout, elle n'a que trente-trois ans, elle est à mi-chemin entre vous et moi.

— Ouin, dit Bruno, c'est ma tante. »

J'ai cru comprendre que le pantalon, à leur sens, seyait aux filles (et il est vrai qu'il y faut de la petite fesse), mais non aux mères. Comme un curé cesse d'être un curé dès qu'il enlève sa soutane, une mère en pantalon leur offense l'œil. Or leur tante est leur mère. Où ces affranchis vont-ils fourrer le sens du sacré?

Autre exemple : ils se sont tous récrié quand le facteur, gazette locale, nous a annoncé que nous ne reverrions plus notre boucher, celui-ci ayant filé avec une épicière de Varades en laissant ses deux filles à la bouchère.

« Il lui a abandonné le fonds, a-t-il précisé, jovial.

— Et les enfants! » a dit Louise, choquée.

J'écoutais Marie : elle n'était pas la moins sévère. Que le boucher fût notoirement cocu,

qu'il ait hésité cinq ans avant de s'en consoler
ne lui a pas semblé une suffisante excuse. J'ai
voulu discuter : rester, n'était-ce pas de l'hypocrisie? On m'a démontré que ce n'était pas la
femme — corne pour corne, nul ne voyait de mal
à un rendu — mais les enfants qui gardaient les
droits sur leur père, qui en les faisant avait souscrit un contrat imprescriptible, puisqu'il pouvait
ne pas les faire. Il m'est apparu que, dans leur
esprit — « Ses filles, elles ne lui ont pas demandé
à vivre » —, le contrat était unilatéral. J'ai eu
envie de protester. Mais dans les yeux de Bruno,
braqués sur son contractant, je me sentais tout
possédé : ce qui m'a d'abord fait taire, en me
rappelant quelque chose.

Ce qui m'a ensuite fait parler, en me donnant
du courage, en me rappelant aussi que, si Bruno
a des droits sur moi, j'en suis encore l'interprète,
que j'ai au besoin à les défendre de lui-même.
Conversation, hélas! terminée par un éclat.
L'après-midi je l'ai trouvé sur la terrasse, c'est-
à-dire sur la plate-forme où jadis les fermiers-
pêcheurs mettaient leur foin et leur fumier à
l'abri des crues et que nous avons sablée avec
le sable du banc le plus proche. On n'y domine

pas seulement le petit pré, dont les tentes ouvertes étaient vides, mais des kilomètres de Loire et de campagne.

« Seul? » ai-je demandé.

Œil serré, menton serré, réponse assortie :

« Ils ont filé.

— Eh bien, écoute-moi un peu... »

J'avais préparé mon boniment :

« Ecoute-moi un peu, un aiguillage ne s'improvise pas, mon petit, dans le dernier mois de vacances. Il faut prendre, le plus tôt possible, des conseils, des contacts, des dispositions. »

Et Papa, pour la nième fois, d'énumérer le possible, de peser, de comparer, la bouche en cœur — et le cœur dans la bouche — en faisant des ronds de mains que, dans les meilleurs jours, lui inspirent ses meilleurs élèves. Pensons-y, mon fils, moi, toi, chaque jour un petit peu, tâchons d'avoir un aperçu de la chose avant la fin du mois. Et tapotant l'épaule du fils, dont l'attention paraissait soutenue, il a enfin demandé, Papa, très engageant :

« Tu n'as vraiment pas la moindre petite idée? »

Bruno a émergé d'un abîme de réflexions. Il avait bien entendu la question, il n'avait même entendu qu'elle :

« Non, a-t-il dit, je ne sais pas du tout où ils
sont, les salauds. »

D'où, l'éclat : une de ces rares, belles et for-
midables rognes dont j'ai le secret, entre d'interminables consentements à tout.

« Nom de Dieu, s'est mis à hurler M. Astin, je
lui parle depuis cinq minutes de choses impor-
tantes, dont toute sa vie va dépendre; il n'écoute
même pas, l'imbécile! Ça n'a pas dix-huit ans,
c'est maladroit, gracieux comme un ours, et ça
fait le beau devant les dames ou le grognon,
parce qu'elles sont allées plus loin jouer à la
reniflette... »

J'étais lancé, déchaîné. Je criais si fort que
Laure est sortie de la maison, éberluée. Elle a
appris que j'avais un fils borné, cervelle cras-
seuse, promis au balayage des rues, du nom de
Bruno; et un autre, appelé Michel, qui ne valait
pas mieux, qui se croyait sorti de la cuisse de
Jupiter, mais de si haut dans la cuisse qu'il en
restait puant; et une fille, parlez-moi z'en, ou
plutôt ne m'en parlez pas... Bref, trois enfants,
trois affreux, indignes de nos soins, de nos efforts,
de nos sacrifices, trois spécimens de l'époque,
assortis aux autres qui leur donnaient bel et bon
exemple. J'en étais déjà au vaste pluriel, j'en-
gueulais tout le monde et bientôt moi, comme

de juste. Elle a appris, Laure, que j'étais le père
le plus bon, le plus con qui soit...

« Allons, Daniel, a-t-elle dit, ce petit a compris, il regrette... »

Il regrettait sûrement, mais moins que moi.
Il était anéanti : d'autant plus qu'au fond des
prairies, entre les tremblants bosquets d'aunes, il
venait d'apercevoir en même temps que moi
quatre ou cinq taches de couleur sur le vert épais
du regain. Sauf une tache jaune citron qui diva-
guait, seulette, le long de la haie (Louise adore
les mûres) les autres allaient, plus lentes et grou-
pées deux par deux. Son regard ne les quittait
plus et dans cette âpre attention je reconnaissais
la mienne; j'apprenais, à mon tour, de quel dépit
peut s'aider la colère.

XIX

Huit jours plus tard, Michel prenait le train pour Valence, Louise pour Biarritz — à titre professionnel — tandis que les deux cousines partaient pour l'Auvergne, chez un oncle commun et que les autres regagnaient leur famille. Bruno resta seul avec moi.

Il était temps : je n'en pouvais plus. Un instant craignant l'incident, j'avais envisagé une explication avec Michel. Je m'en étais finalement abstenu, pour ne pas donner d'importance à ce qui ne devait pas en avoir. Je le savais trop malin, trop ambitieux, trop sec, pour se laisser happer, fût-ce le petit doigt. Il se moquait bien d'Odile. J'avais bien deviné le mécanisme : « Laisser Bruno s'intéresser à une fille et la fille s'intéresser à Bruno, devant moi? Impensable. Je ne vends pas mon droit d'aînesse, moi. Je gagne, si je veux. Du moins, je gagnerais si je

voulais. Seule m'intéresse la démonstration. »
C'était l'histoire du grand dogue gavé qui dé-
daigne l'os de rencontre, mais pose la patte
dessus parce qu'un roquet le guigne et l'abandonne sans y toucher, dès que le roquet
renonce.

J'avais tout de même eu peur, les derniers
jours. On a beau s'appeler Michel, être un monsieur très — trop — sûr de soi, il s'en est vu
d'autres, filles ou garçons, dont les vingt et un
ans, dans la tiédeur de l'occasion, ont brusquement obéi à leurs gonades. Du dogue il virait
au loup, flairant l'agnelle et qui se demande :
« On croque ou on ne croque pas? » Qu'il la
croquât et, sans aucun doute, il eût très vite
abandonné les restes. Pour lui éviter ce brigan-
dage, peu probable, mais non impossible, pour
être sûr de rendre au comptable la même fille,
à Bruno sa tranquillité, à moi-même la mienne,
j'avais de ma lourde présence empêché tous les
isolements, suivi les bras dessus bras dessous
déambulant vers la petite maison en ruine de la
Bimboire, sous la voûte de ronces de l'ancien
chemin de halage où certaines ne se sont pas seulement fait égratigner le nez.

Précaution inutile, certainement, et même un
peu insultante pour Odile si elle l'avait percée.

Mon expérience, je le regrette, ne m'a pas donné
une très bonne opinion des femmes. Odile avait,
de toute évidence, la jambe plus sûre que sa
cousine. Cela se voit chez une petite quand elle
a encore l'instinct de conservation, quand elle
tient à ce qu'elle a, même si c'est logé dans le
plus arrogant blue jean. Mais qui se moque de
l'accident, il le mérite; et il en est d'inattendus,
pour la plus sage, quand s'en mêle la petite
bête qui, en chacune, ourdit son fil d'araignée-à-
maris.

Et puis ce n'était pas suffisant qu'il ne se fût
rien passé; il ne fallait pas qu'on pensât, Odile
la première, qu'il aurait pu se passer quelque
chose; il ne fallait pas qu'il en restât même le
souvenir d'un flirt, dont Bruno prît prétexte
pour y accrocher cette première jalousie qui,
parfois, fixe son homme. Je connaissais mon
Michel. L'avant-veille de son départ, je l'emmenai à Ancenis pour prendre son billet et lui
retenir une couchette. A notre retour Bruno
était sur la terrasse, près d'Odile et, par
chance, sans autre compagnie. Je pointai le menton :

« Tiens, tiens, est-ce qu'on chasserait déjà? »
fis-je, avec l'indulgence du grand distrait qui
s'aperçoit enfin des choses.

Les sourcils de Michel firent l'accent circon-
flexe. Mais j'ajoutai, négligent :

« Petit chasseur, petit gibier. »

Bienheureux les vaniteux, car ils n'y verront
que du feu! L'effet passa mes espérances. Michel
se montra beaucoup plus circonspect, presque
distant, le dernier jour. La séparation fut banale,
l'au-revoir tiédasse, sans prolongement. tel que
je le désirais. L'ami provençal a des sœurs, qui
ont des amies et tout ce beau monde a des pères,
des relations et des dots. Odile avait peu de
chances de recevoir des cartes postales.

Le reste des vacances me fut agréable, mais
non délicieux. D'être son libre fils et non l'ombre
du père, pour Bruno, l'habitude était prise. Ni
bourru ni sauvage, il fit cependant, sur un vélo
prêté par le père Cornavelle, de longues ran-
données solitaires, au long des levées ou sur ces
vicinales indéfiniment bordées de haies pou-
dreuses et qui remontent en vrille vers les
coteaux. Il cherchait sa colique en grappillant
du raisin vert, encore touché de sulfate. Certains
jours il s'enfonçait dans le sable, regardant pendant des heures les mulets d'entraison sauter
dans les nappes basses ou le baliseur sonder son

chenal, debout sur sa plate que poussait, haletante, la moto-godille. Moi, je pêchottais, placide, remplissant peu à peu de menuaille la boutique du bateau d'où Laure venait, de temps à autre, tirer quelque friture.

Nous avions nos palabres, aussi, comme devant et auxquels Bruno continuait de convier sa tante. Il y fut question de son avenir et décidé, sans enthousiasme de part ni d'autre, qu'on verrait plus tard, qu'il pouvait toujours commencer une licence en droit. Il y fut question de ses amis et amies, incidemment, avec une brièveté rassurante. Ceux-ci comme celles-là ne semblaient pas lui manquer trop. Il dit à plusieurs reprises :

« On est un peu seuls, hein, maintenant. »

A l'occasion je risquais des pointes contre Marie : il ne les releva pas, mais sourit du sourire qu'on accorde aux juges d'un autre temps. Prononcé par Laure, le nom d'Odile buta contre mon silence. Laure insistant, la bonne gaffeuse, s'étonnant de ne pas avoir reçu un mot de remerciement, je dis :

« Aucune importance... Bon vent! »

Bruno m'observa curieusement, mais ne sourcilla pas.

A la fin d'août, sur le carré d'herbe foulé, à l'emplacement des tentes, laiterons et folle

avoine redressaient la tête. Bruno avait pris un
kilo et, passé au brou de noix, se montrait plus
ouvert, plus gai. J'estimais l'avoir bien repris en
main, quand le 28 sa grand-mère tomba de son
fauteuil, se cassant le poignet et nous forçant à
repartir un peu plus tôt que prévu pour Chelles.

XX

MADAME HOMBOURG fut réparée, à peu près con-
venablement, malgré l'âge. La fin de l'année le
fut aussi. Passé de la vie scolaire à la vie universitaire, Bruno ressentit le changement comme
une promotion. Sans autrement l'exciter, la nouveauté de son travail l'occupa. Il se fit d'autres
amis, les siens cette fois : des étudiants, des étu-
diantes de la faculté de Droit, dont il parlait
avec une amitié où, malgré ma sensibilité
d'oreille, je ne surprenais pas d'excessive chaleur.

Son indépendance paraissait vouloir devenir
ce qu'en souhaitent secrètement tous les parents :
très différente de celle de ses aînés, elle ne l'éloignait pas de la maison, elle lui donnait seulement de l'assiette. De ce grand garçon calme la
forte voix creuse s'infléchissait peu et son va-et-
vient personnel, maintenant distinct du mien,

respectait ses horaires — sans aimer, toutefois, qu'on les lui rappelât. Vers neuf heures, tandis qu'on ânonnait sous moi la leçon de grammaire latine, page 157, *Vaudoin, taisez-vous, Dubreuil, j'aimerais voir vos mains,* je pensais du haut de mon pupitre : « Il entre en cours. Aujourd'hui, Eco. Po. Et à dix heures, droit civil. » J'étais plein d'indulgence pour la piètre récitation d'Armandin ou de Birolet. Vers onze heures, descendant de ma chaire, je songeais : « Il sort du cours. Il a une heure de battement. Si nous habitions Paris, il rentrerait déjeuner avec moi au lieu de traîner en attendant le moment de donner son ticket bleu d'abonnement à la caissière du *Resco.* » J'aimais moins ce moment-là.

Pourtant, le soir, il était presque toujours au pair avant moi. Je le trouvais plongé dans son histoire du droit; il relevait le nez en nasillant :

« La *lex receswinida...* Ça te dit quelque chose, à toi, le roi Receswinth? »

Le dimanche il ne sortait guère plus qu'avant, mais il le faisait carrément, restant vague si Laure avait le front de l'interroger, donnant toutes précisions, à son retour, si personne ne lui en demandait. La moitié de ces sorties, au moins, étaient vouées à ce qu'il appelait lui-même « le sport de contemplation », matches de football

ou réunions du Vel d'Hiv. Il s'en allait, revenait,
seul. Xavier, entré au Prytanée, avait disparu de
son sillage. Michel, X 2, se faisait rare. Quant
à Louise sa vie parisienne l'absorbait de plus en
plus; elle commençait à trouver lointaine sa
chambre à coucher à « l'hôtel » paternel et,
comme Michel, laissait tomber ses camarades de
Chelles, pour d'autres, plus lancés. Sans doute
Bruno rencontrait-il fortuitement l'une ou
l'autre Lebleye, comme je les rencontrais moi-
même, surtout Marie, notre voisine, que je tenais
à distance d'un bref coup de chapeau; mais il
n'en parlait pas. Il avait certainement deviné mes
sentiments, comme leurs motifs; si son silence
désapprouvait secrètement ma secrète animosité,
du moins s'y résignait-il. Fleurette séchée. Je ne
souhaitais pas qu'elle fût la première d'un her-
bier. Je lui offrais toutes les séductions acces-
sibles : un costume neuf, une raquette, mon
volant. Aussitôt nanti de son permis de conduire,
je l'avais intronisé chauffeur; je ne lui confiai
pas seulement le soin de me conduire, mais celui
de nous choisir un programme dominical, auquel
délibérément il associait sa tante, quand l'état
de Mamette permettait à Laure de nous suivre.

Moins serrée, notre existence, somme toute,
restait parallèle. Mes appréhensions s'effilo-

chaient. Il ne m'apparaissait plus impossible que,
durant trois ans, il ne se passât rien. Je me surprenais même à penser qu'après tout si Bruno
prenait goût au droit ou si, simplement, par
manque d'imagination, par routine, il se laissait
glisser jusqu'au doctorat, nous en avions peut-
être, lui et moi, pour cinq ans.

Je n'en avais pas pour cinq mois.

A Noël, Michel, pressé de rejoindre un groupe
de l'école aux sports d'hiver, ne fit guère que
passer. Louise, qui disposait seulement de six
jours, voulut bien réveillonner à la maison, mais
le 26 décembre décida brusquement de prendre
le train de neige pour Grenoble. Elle était majeure, gagnait fort bien sa vie, pouvait s'offrir
cette fantaisie. Mais Bruno, du coup, prenait
auprès de moi l'air d'un enfant puni (exactement
puni d'affection). Il fit un saut de carpe quand
sa sœur, qui ne partait pas seule, mais avec des
inconnus — inconnus pour moi — vivement
embauchés à coups de téléphone, lui proposa de
l'emmener à Chamrousse : un peu pour lui faire
plaisir, un peu pour épater la galerie, un peu
pour se flanquer d'un frère, je n'aurais su le dire
au juste, les raisons de Louise s'embrouillant

toujours au dévidage. Je ne pouvais refuser. Bruno, durant une petite semaine, put se suspendre au tire-fesse et savonner la piste : « la piste verte des débutants, bien entendu », précisa Louise dans une courte lettre.

Je donne une date, je ne donne pas une explication, bien que j'aie un moment songé à une contagion. Toujours est-il que, dès janvier, il se produisit chez Bruno une sorte de glissement. Je fus d'abord alerté par la fréquence accrue d'une phrase banale :

« Non, dimanche, ne comptez pas sur moi... »

Par l'apparition, aussi, de rechignements :

« Le droit, le droit... Quel fatras, cette licence de chicane! »

Et par celle, plus désagréable, d'un nouveau ton :

« Quand nous déciderons-nous à changer le tacot? »

Ou, à propos d'un de mes jugements :

« Tu vois ça comme on le voyait il y a vingt ans... »

Sa franchise, plus rêche, prouvait encore sa confiance. Mais l'agacement s'y faisait jour, le regret de ne plus pouvoir penser en tous points comme son père (je ne lui avais jamais demandé, d'ailleurs, et sans doute ne m'attribuait-il ce vœu

que pour le mieux combattre *en lui*). Toujours
serviable, « bon enfant » selon le mot (un mot
gaffe) de Laure, il se lâchait malgré lui, subitement châtaigne, se rattrapait, ouvrait la bogue
pour donner le marron et ne se montrait vraiment hostile qu'envers certaines de mes propres
hostilités. Les palabres du soir, vaguement
orientés par le journal télévisé, en devenaient
parfois difficiles. Il ne fallait pas trop regretter
l'humeur des peuples qui, notre joug secoué,
s'attaquait à notre culture même :

« Cinq cents ans de leçons, tu penses, ils en
ont assez du prof européen! »

Il ne fallait pas sourire des pantalons étroits,
les trouver symboliques :

« Vous, ripostait Bruno, vous flottiez dans les
vôtres, comme en tout. »

Il ne fallait pas avoir l'air d'écouter avec sympathie le morceau de bravoure d'un général en
retraite devenu moraliste et déplorant l'inci-
visme des moins de vingt ans :

« Mais oui, mon coco, ricanait Bruno, vous
avez trouvé un pays riche, victorieux; vous nous
laissez un pays ruiné, vaincu. Parle toujours d'in-
civisme... »

Il ne fallait pas, comme Laure, enchaîner sur
Mlle Sagan, porte-parole de l'armée blue jean :

« Porte-parole de qui, de quoi? s'écriait Bruno. S'il y a deux pour cent de jeunes qui ressemblent aux personnages de Françoise, c'est le bout du monde. Mais voilà : vous êtes ravis de nous croire comme ça. »

Réserve dans l'engouement, du reste. Il ne fallait pas non plus dénier du génie à Françoise. Un auteur de vingt ans, classé d'emblée parmi les monstres sacrés, preuve par neuf de la valeur des cervelles fraîches! Si j'ouvrais la bouche, alors Bruno devançait la remarque :

« Toi, tu vas dire, bien sûr, que c'est la vraie raison de son succès... Et Mozart, et Radiguet, est-ce nous qui les avons faits? »

Mais surtout, surtout, il ne fallait pas critiquer Louise. Elle nous inquiétait (Nous : Laure et moi. Signalons ce rapprochement), elle nous inquiétait énormément, Louise, qui arrivait avec l'un, avec l'autre, présentait « Jean-Paul » ou « M. Varange », annonçait qu'elle ne dînerait pas, qu'elle ne rentrerait pas avant dix heures du matin — un samedi elle n'était pas rentrée du tout — et repartait, sans autre explication, pimpante, dégagée, parfaitement inconsciente du malaise créé derrière elle. Je ne disais rien. Laure ne disait rien, d'abord, puis murmurait que tout de même...

« Tu en fais un roman! » protestait Bruno.

Et pleuvaient sur nous de virulents apho-
rismes :

« Le temps est passé où les filles attendaient
preneur, comme les salades chez l'épicier, en
priant Dieu d'être encore fraîches! »

Ou bien :

« Je sais bien à quoi vous pensez. Et quand
cela serait? Ce n'est pas une mutilation.

— Bruno! » gémissait Laure, choquée, mais
se défendant d'être amusée.

Bruno riait, repartait, singeant le juriste :

« Ben quoi, se marier, pour une femme, c'est
en gardant la nue-propriété d'elle-même céder
l'usufruit contre une pension alimentaire. D'autres se louent. Quand on y réfléchit, la seule, la
belle gratuité, c'est la cession à l'occupant sans
titre...

— On pourrait le croire, reprenait Laure,
soudain sérieuse. Pourtant ces cessions-là, leurs
bénéficiaires nous les reprochent très vite. »

Mais à Bruno le dernier mot :

« Pas nous : voilà le changement. Nous, nous
ne méprisons pas les filles après nous être servis
d'elles. »

Je souriais : le nous de Laure et de Bruno,
vieille pucelle et jeune puceau, très probable-

ment, ne présentait pas d'épaisses références.
Quant au système Bruno, il ne changeait guère.
Mais qui lui rendait la salive acide? Pourquoi
défendait-il sa sœur avec cette rage de prévoir le
pire, en l'excusant d'avance? Je me demandais,
naïf : « Défendrait-il l'espèce? Et dans l'espèce,
qui? »

Ce fut l'ingrate Louise qui, sans le vouloir,
attacha le grelot. Le premier dimanche de
février, comme je descendais, vers sept heures,
je m'arrêtais surpris. On parlait dans le vivoir.
La clef de Laure ne luisait pas, accrochée à son
clou; elle n'était donc pas arrivée. Ce ne pouvait
être que Louise, rentrée tard, en train de
raconter sa nuit à Bruno, levé tôt. Je descendis
quatre marches sur le bout du chausson. Louise
disait :

« ... jusqu'à six heures, mon vieux! Je ne
l'avais pas vue depuis au moins deux mois. Mais
elle sortait du métro comme je m'y engouffrais.
Elle ne fiche plus rien, tu sais, elle va seulement
à un cours ménager, le jeudi et le samedi. Elle
remontait à Chelles. Je l'ai débauchée. Jean-Paul
m'avait prévenu : « On manquera de filles. »
Elle hésitait parce qu'elle était en tailleur, parce

que ses parents la serrent encore un peu. Alors
j'ai téléphoné, je leur ai dit que je la prenais
sous mon aile... »

J'entendis un grondement :

« Ton aile! »

· Et je fus du même avis, regrettant que pour les
parents d'en face notre fille soit née chaperon.
Mais Louise continuait :

« Odile était un peu noyée, au départ, elle ne
connaissait personne, mais finalement elle s'est
très bien débrouillée. On a dansé toute la nuit.
On· rentre. Je suis vannée.

— Merde, fit soudain Bruno, tu exagères! »

Il y eut de l'étonnement dans l'air, du silence,
puis un murmure rageur, filtré sur les dents,
inaudible. Mais je comprenais, je comprenais
très bien. Une chose est l'absolution, donnée à sa
petite sœur; une autre, d'en faire les frais. Quelques mots, en fin de tirade, surnagèrent :

« ... Dis-lui que ce n'est pas sa place.

— Cette idée! dit Louise, d'une voix bien
claire, qui ne craignait rien des murs, c'est moi
qui l'avais invitée : j'aurais l'air fine! Chante-le-
lui toi-même. Elle m'a dit qu'elle te voyait souvent dans l'autobus.

— Laisse tomber, en tout cas! dit Bruno,
entre deux voix.

— Bien sûr, mon chou, puisque tu ramasses. »

Un petit rire fusa, où semblait triller un rouge-gorge.

« Tu ne comprends rien! mugit Bruno, oubliant ses prudences.

— Rien, dit Louise, j'ai besoin d'un dessin! Il est vrai que, le Peynet, ce n'est pas mon fort. »

Je remontai vivement, alerté par les talons de ma fille. Embusqué derrière ma porte, à peine entrebâillée, je la vis passer, le petit doigt dans l'oreille, l'air aussi embêté que si elle venait d'apprendre que son frère était cardiaque.

Deux heures durant, l'estomac sec, vous l'auriez vu marcher, M. Astin, sur ses doux chaussons! De long en large, d'un mur à l'autre, de Madame sa vénérée mère à Madame sa femme, l'une regardant l'autre et les deux regardant M. Astin, avec cet œil des portraits qui a l'air fixé sur vous, toujours, et de vous suivre, en quelque coin que vous soyez dans votre chambre. Il y mettait de l'ardeur, dans la pondération.

Ainsi ce serin, il la revoyait, la demoiselle de ses pensées. Cette ridicule histoire n'était pas terminée. Il pouvait plastronner, enfiler des paradoxes, absoudre la culotte d'autrui, il était bien plus coupable, il sombrait dans une bien plus énorme sottise, lui, qui, Bruno pour Brunette, roméotisait en cachette, ramait dans les glouglous du lac à vous en écœurer une pensionnaire. Il ne pouvait pas faire comme tout le monde, s'il avait des boutons? Il ne pouvait pas s'essayer, en faire craquer une ou deux, de la fichue race creuse? J'aimais encore mieux ça, c'était moins dangereux, ça ne tirait pas à conséquence, les risques étant, dans ce monde bien fait, pour la femelle. Mais non, c'était ma chance, cela m'arrivait, à moi, cela me tombait dans la maison, en plein XXᵉ siècle, quand tous les petits copains jouaient les grande blasés : un sentimental!

Je me répétais : « Allons, voyons, soyons calme. » Et ça, pour aller, j'allais; mais pour voir, je n'y voyais que rouge et quant à être calme... On me cria :

« Tu descends déjeuner? »

C'était la voix de Bruno. Il pouvait penser que j'avais faim, l'idiot, et faire son empressé, peut-être, en passant le café au lait, dont j'exècre les peaux. Mais à dix-huit ans, alors qu'il n'avait vraiment été mon fils qu'à partir de treize, alors que je n'avais, par un bout, déjà pas eu mon compte de sa jeunesse, il rêvait de me la rogner par l'autre bout. Il oubliait qu'il m'avait, moi,

Ne lui avais-je pas sacrifié Marie, sacrifié une bonne vieille entente qui n'était pas, elle, un enfantillage? Un tel effort méritait bien qu'à son tour il en fît un petit, qu'il la laissât filer bien seule, vers ses ménagères études, l'autre, dont il ne prononçait pas le nom et qui ne semblait, hélas! nullement vouée à la carrière de sa patronne, la moniale, fête le 13 décembre, fille d'Aldaric, duc d'Alsace...

« Et alors? » chanta-t-on, en bas.

Je ne répondis pas. Je marchais un peu moins vite. Je m'assis, essoufflé, sur le rebord du lit. Le silence de Bruno : un aveu, on tait ses tares. Mais ce même silence — qu'à la dimension de la chose, il valait mieux appeler cachotterie — restait inadmissible. Il dénonçait un Bruno secret, séparé, inconnu, tapi dans l'inconfiance. Puisqu'il en voulait, toutefois, bon, va pour le silence! Il en aurait. J'en avais usé, moi aussi en vain et l'on m'avait appris comme on lasse les gens, avec un sourire d'émeri, en attendant que ça s'use. Déployant ma foudre, je n'allais pas buter le gosse sur une niaiserie. Pas si bête. Une des rares choses réconfortantes dans l'existence, c'est que les gens que nous sommes pressés d'écarter, si nous avons assez de patience, nous les voyons se liquider eux-mêmes. Il suffit de

compter sur leurs erreurs : des milliers de
gueuses ou de navrantes donzelles ont ainsi dé-
barrassé les familles. L'autre n'était pas Louise;
elle pouvait le devenir; elle était sur la bonne
voie. D'ailleurs à dix-huit ans, elle avait de
l'avance sur un garçon du même âge; et déjà,
une fois, avec la perspicacité de son sexe, elle
avait incliné, très peu, mais un peu, vers le brillant plutôt que vers le tendre. De la nigauderie
de Bruno, on pouvait être furieux; il n'y avait
pas encore lieu d'être affolé. Je me levai, bou-
tonnant ma robe de chambre. A ce moment on
frappa.

« Tu n'es pas malade? dit Bruno, à travers la
porte.

— Non, entre. Un peu de migraine... »

Je voulais voir sa tête.

« On t'a dit de surveiller ton foie », reprit
Bruno, en poussant le battant.

Il me tendait sa joue, rasée de frais. Je lui
donnai, sur la pommette, un coup de lèvre. Je
le trouvai grave. Sottement grave. Une litanie de
mots, de petites injures, me traversa la tête : stupide, insane, inepte, saugrenu, jobard, animal,
nice, benêt, cornichon! Ses affaires n'allaient pas
fort, tant mieux pour lui! Je descendis, un peu
raide.

« Louise vient de se coucher, dit Laure —
dont la paupière chut.

— L'innocence a changé ses heures », dit
M. Astin.

Je dégageai mon bas de pyjama, allégrement
attaqué par Cachou, enfant de chien, qui rem-
plaçait Japie, morte de vieillesse et qui, depuis
un mois, d'une patte alerte, signait tous les tapis.
Sur la table, pour les hors-d'œuvre de midi, sans
doute, traînait un de ces petits saucissons qui
ressemblent aux poids des vieilles horloges. Machinalement, je le happai, ainsi qu'un bien
pointu couteau et je guillotinai, de toute mon
âme, au moins vingt-cinq rondelles.

XXI

Le silence peut devenir l'écho du silence. Laure restait d'une sobriété de langue à toute épreuve, Michel absent, Mamette consignée au mair. Avec Louise qui a toujours parlé comme on fait des bulles, Bruno, qui avait décidé de se taire et moi, déjà spécialiste de l'*in petto,* de l'imiter, on devenait communicatif dans la famille, où le plus loquace s'avérait être Cachou, aboyant encore menu, mais avec l'éloquence passionnée qu'un trois fois rien de chien, de la truffe et du fouet, peut mettre dans l'inarticulé.

Un mois, deux mois, rien de nouveau, mais ils insistaient tous : Michel dans la rareté magnifique que lui inspirait l'imminence de la formule magique pour cartes d'ingénieur « *ancien élève de l'Ecole polytechnique* »; Louise dans cette soie, qui attire la pure laine (présentement et de plus en plus « Monsieur Varange », trente-quatre ans, voiture de sport, complet anthracite, héritier de filatures) et ce avec une aisance dé-

cuplée, toute suédoise, stupéfaite du moindre cil-
lement, avec une désinvolture si relavée, si élé-
gante qu'elle enfonçait la décence et, du bout
d'un escarpin sorti du meilleur bottier, expédiait
toute remarque dans la poubelle aux sous-
entendus. Bruno insistait enfin dans l'art de ne
pas insister, jusqu'à ce que fatigue s'ensuive.

Cogitant, computant, je ne m'y faisais pas.
Pour les géniteurs, dont plus long est le passé,
plus courte est la mémoire, c'est une chose
étrange, proche de l'aberration, que l'intérêt
croissant des leurs pour de vagues personnes, hier
encore enfouies dans le fourmillement des huma-
nités étrangères, aujourd'hui franchement ou
secrètement présentes, puissantes, envahissantes,
délogeant père et mère de leurs positions clefs,
de leur paix tamisée par les rideaux de tergal.

Je me réfugiais, on le voit, dans le petit
humour : vieux truc, très prisé dans la profes-
sion — et dans tout ce pays, où l'on aime cirer
ses rages. J'aurais donné je ne sais quoi pour
reculer de deux ans, pour retrouver cette impression d'être le siamois de mon fils, d'avoir une
artère commune avec lui. J'attendais. Et en
attendant je le surveillais, l'œil sur la pendule,
exactement comme il m'avait surveillé moi-
même du temps de Marie. Je notais tout, c'est-

à-dire presque rien. Bruno se montrait un peu
las, légèrement soucieux, mais ponctuel, plus
réservé, mais non distant, moins disposé à sacrifier ses sorties aux nôtres, mais résolu à en assurer l'équilibre. Au mair où l'on ne se doutait de
rien, où l'on aurait simplement souri si on avait
su, la cote de Bruno montait.

« Il est bien, disait Laure, dans ses grandes
crises de confidences.

— Un as, une belle, un fidèle, vous avez tout
eu, mon ami! » murmurait la vieille Mamette,
éteinte, transparente, presque partie, à qui nous
rendions visite, cinq minutes par semaine —
quand elle avait cinq minutes lucides — parmi
son peuple de ficelles et de bibelots indistincts.

Fidèle, oui, bien sûr! Mais quand on la partage, avec l'un, avec l'autre, avec la tard venue
qui peut-être s'en moque, c'est moins encoura-
geant, la fidélité.

Ce furent du reste, à mon endroit, les dernières paroles de ma belle-mère, railleuses
comme de juste : le surlendemain elle eut une
attaque, dont elle réchappa, mais pour demeurer
grabataire et aphasique. Laure refusa de prendre
une garde, assurant même que dans cet état sa

mère aurait moins de besoins, serait plus facile
à soigner.

Nous nous en laissâmes persuader : avec la
gratitude benoîte de ceux qui se sont accoutu-
més à l'héroïsme de l'un des leurs et bien que cet
allégement de travail poussât du mair au pair
une Laure amaigrie, hâve, claquant de la savate
dans une navette échevelée.

Un mois passa. Puis, peu avant Pâques, j'appris de la bouche d'un collègue, *charmante soirée, mon fils y était,* que Louise avait donné, en
quasi-maîtresse de maison, chez M. Varange, une
petite sauterie destinée à fêter la pendaison de
crémaillère dudit, rue de la Pompe. Louise ne
le nia pas :

« Et alors, dit-elle, froide et candide, je ne
peux pas m'organiser une vie?

— Quelle vie? dit M. Astin.

— Ce qui s'appelle une vie, reprit Louise,
impatiente. Sais-tu que, seule, je gagne déjà plus
d'argent que toi? Préfères-tu que j'aille habiter
Paris?

— Presque, fis-je, en regrettant aussitôt le
mot.

— J'y penserai », dit Louise, dont la lèvre frémit un peu avant d'ajouter : « Au lieu de me
dépêcher ta police, tu ferais mieux de t'occuper

de Bruno. En voilà un qui peut t'inquiéter. Michel et moi, nous savons ce que nous voulons, nous ne sacrifierons pas notre avenir pour nous précipiter sur le roudoudou. »

Elle n'en dit pas plus, mais, très vite, je sus que Bruno avait séché des cours. Quand j'ose la désirer, la pêche aux informations, dans l'étroit univers des enseignants, m'est facile : petit professeur, j'ai un peu partout des camarades bien arrivés qui sont ravis de signaler leur importance en me rendant ce désagréable service. L'un d'eux qui s'était payé jadis la coquetterie de décrocher à la fois le doctorat ès lettres et le doctorat en droit, célèbre à la Faculté, pour son interrogative exigence et ses reniflements humides qui lui avaient valu le bivalent sobriquet de Tire-Jus, ne me cacha rien :

« Bruno? Je ne l'ai pas vu d'une semaine. Pas fameux, fameux, ton fils, franchement... »

Le soir même après dîner, interrogé, Bruno, lui non plus, ne nia pas.

« Exact, dit-il. J'avais besoin de cette semaine-là. J'attendais, pour t'informer, les résultats du concours.

— Concours...? fis-je, éberlué, quel concours? Tu as passé un concours sans m'en avertir?

— J'ai essayé celui des P. T. T., reprit Bruno.

humble et ferme. Je ne suis pas un aigle, tu le
sais. J'ai voulu prendre ce qui était à ma portée,
comme je prendrai, si j'échoue, ce qui pourra
l'être encore : Contributions, Enregistrement,
une administration quelconque. On ne sait
jamais : je ne veux pas rester en carafe, plus tard,
avec une licence inachevée, inutilisable. Et puis,
j'aimerais gagner ma vie assez vite. »

Le secret, la décision prise en dehors de moi,
la pratique du fait accompli, de raisonnables raisons pour masquer les véritables et m'interdire
la colère, un sang-froid, un calme tout neufs, un
visage lisse et cette gentillesse même, si différente, neutre, imperméable et comme touchée
en profondeur par ces microbes qui lentement
indurent un tissu... On m'avait changé mon fils.

« L'examen a d'ailleurs bien marché, disait-
il. Je saurai dans une quinzaine, mais je pense
avoir réussi.

— Avec ça, s'écria M. Astin, docteur ès lettres,
tu iras loin! »

On me le diminuait, on me le rendait petit,
petit, ce pauvre pruneau de Bruno, déjà si près
du fruit sec. On me l'arrêtait en chemin, ce
gosse qui, à petits pas, la tortue rattrapant quelquefois le lièvre, aurait peut-être pu, quand
même, faire mieux.

« Je n'irai pas très loin, avouait Bruno, im-
passible. Mais une fois dans la place, tout de
même, on peut accéder à l'Ecole supérieure des
P. T. T. qui forme ses propres cadres. Rien ne
m'empêche, d'ailleurs, de continuer ma licence
en travaillant. »

Pratique, au surplus : repoussant plus loin la
difficulté. Je m'échauffais, retenant ma question : pourquoi? A quoi bon! Je savais. Et je ne
voulais pas savoir. Imperméable, moi aussi, je
devais l'être pour gagner un peu de ce précieux
temps qui effrite si bien le tuf, pierre tendre. Je
me lançai dans le style ampoulé :

« Ainsi ton frère inventera quelques-unes de
ces machines qui transforment le monde, ta
sœur fera loucher le Tout-Paris et toi, en blouse
grise, le nez sur tes casiers, tu trieras glorieuse-
ment des lettres. Tu te pousses, mon ami, tu te
pousses. Vraiment je me demande... »

Hésitation feinte. Soupir :

« Je me demande ce qui peut bien t'intéresser
dans la vie. »

Bruno n'hésita ni ne soupira. Il répondit tout
de suite :

« Mon Dieu, Papa, je crois que l'essentiel,
c'est d'être heureux. »

Heureux! Je bouillais. Heureux qui rime si

richement pour les niais avec amoureux, pour les
prudents avec dangereux, pour les sarcastiques
avec foireux. Heureux, toi et moi, dans l'émoi,
sauf quatre jours par mois : qui lui avait donné
ce cœur de midinette? Il en voulait du bonbon,
du bonheur, ambition des pauvres et des faibles,
mais comme le reste trusté par les riches et les
forts? J'avais là-dessus mis en fiches, au long de
mon heureuse vie, une statistique de premier
ordre. Mais allez donc crier plus loin, Cassandre!
Cet âge a ses chansonniers pour philosophes. Et
il chantait, Bruno :

« On cherche à réussir pour l'être, n'est-ce
pas? Mais si tu es heureux, sans avoir fait de mi-
racles, les gens peuvent en penser tout ce qu'ils
voudront, tu as bel et bien réussi. »

Petit professeur de banlieue, vilain veuf, alors
j'avais deux fois raté ma vie; père délaissé, je la
ratais, sur l'heure, une troisième fois. Soudain,
l'échange devint plus vif :

« Tu es pressé!

— Nous sommes tous pressés : Michel, Louise,
moi, les autres. Vous nous laissez un monde si
noir. On n'aura peut-être pas beaucoup de
temps.

— Le temps de quoi, mon petit?

— D'être heureux, souffla Bruno, agacé, un

peu honteux d'avoir à répéter le mot-rengaine.

— Et qu'est-ce que c'est pour toi le bon-heur? »

Bruno plissa les yeux. Puis le nez à terre, tâtant le terrain, pansant la plaie, habile, sin-cère, ému, au choix ou le tout ensemble, il répon-dit de biais :

« Pour toi, n'est-ce pas, c'était ma mère? »

Pour moi, ce fut Gisèle, oui, petitement : le tremolo nous menaçait. Mais il y avait eu Marie, ensuite : à Bruno justement immolée. Je retrou-vai de la rancune, pour ironiser :

« Et tu as déjà obtenu à dix-huit ans, d'une jeune personne, l'assurance de son indéfectible attachement? »

Bruno m'observa, d'un œil gris, stupéfait de ma hargne.

« Je n'en suis pas là », murmura-t-il.

Sans expression. Je guettai vainement sur son visage, ce léger gonflement, cet air endolori que se partagent la peine de cœur et la chique nais-sante. S'il n'en était pas là, bravo. Il n'était pas urgent du tout qu'il le fût; pas urgent d'être prêt, donc, de s'armer en toute hâte, en sacri-fiant la qualité de l'armement. Mais il l'était d'arrêter les frais, dans la bonhomie des patauds :

« Cette bonne blague! s'écria M. Astin. Heu-

reusement que tu n'en es pas là! Car je peux
t'avouer qu'une boulette pareille, à dix-huit ans,
tu ne pourrais pas me l'imposer avant trente-six
lunes. »

Bruno monta se coucher sans répondre. Je
montai aussi, sans le rappeler pour le baiser
d'usage. Il n'avait pas eu le dernier mot avec
moi; il ne l'aurait pas de sitôt sur le sujet. Serais-
je assez faible père pour m'instituer son complice, avoir pitié d'une petite langueur sans songer aux grands navrements que l'avenir réserve
aux bâclages du béguin? Mon dadais, il était
même souhaitable qu'il fût dans l'affaire un peu
écorché, qu'il y laissât des illusions. Point trop
fier et me retournant dans mon lit, je me conseil-
lai fortement toute la nuit : « Tu devrais en toucher deux mots à Louise; elle a l'air de penser
aussi, la sage follette, qu'à dix-huit ans un garçon
ne peut songer à faire dire oui aux filles qu'en
privé. Louise a déjà invité cette petite; elle peut
recommencer, la sortir, l'amuser, lui donner très
vite le goût du plaisir et du même coup quelque
dédain pour les Chellois. »

Je pris deux cachets pour dormir, d'un mauvais sommeil.

XXII

Laure a mis la table, préparé la soupe, coupé le pain. Pressée de repartir au mair, elle coud, elle coud, penchant le cou, tire son fil, replonge l'aiguille, la pousse du bout d'un dé d'or, son unique joyau, héritage d'une grand-mère trop riche pour s'en servir. En bras de chemise, j'attends devant elle qu'elle me rende ma veste, dont un bouton avait sauté. Au-dessus de nos têtes, sur la cloison qui déjà s'enfume, se démène, entre ses poids en forme de pommes de pin, le balancier d'un coucou de bois découpé offert à Louise, par une maison de couture suisse à l'occasion d'une présentation. Nous l'avons tous trouvé trop laid pour le vivoir, mais Laure l'a réclamé pour la cuisine. Le coucou marque huit heures moins dix et Bruno n'est pas rentré. Il a tort, car Louise pour une fois est arrivée avant lui; et parce qu'il n'est pas rentré, parce que nous sommes jeudi, parce qu'il a dû attendre le bon autobus, parce qu'à cette heure les 213 sont

pleins et qu'on peut s'y serrer sans que nul y
puisse redire, je pourrais bien parler à Louise.

« Ne piétinez pas comme ça, Daniel, dit
Laure. Ça va y être. Mais les deux autres boutons
tenaient si peu que j'aime autant tous les
recoudre. »

Je n'ai pas osé jusqu'ici : ni ce matin ni hier
ni avant-hier. J'avais honte. Bruno dans la maison, je suis paralysé par son regard! C'est celui
d'un garçon que fâche bien mon attitude, mais
qui s'y découvre en même temps un père plus
père qu'il n'eût jamais pensé — un peu comme
dans sa propre attitude, du temps de Marie, je
déplorais une hostilité aux raisons délicieuses.
Pourtant il faut agir. Huit heures moins trois.
D'un moment à l'autre, Louise va descendre de
sa chambre pour aller, dans le vivoir, tourner le
bouton de la télévision. Si à huit heures... Enfin,
disons : si à huit heures et demie...

« Voilà », dit Laure, qui me tend ma veste.

Mais la veste balaie au passage un coin de la
table, d'où tombe une petite fiche de cartoline
blanche. Machinalement je la ramasse.

« Ne jetez pas ça, dit Laure, c'est la fiche de
donneur de sang de Bruno. Il l'a oubliée sur la
table. »

Un aspect de Bruno, cela, et non le moins

sympathique : de mes trois enfants il est le seul
qui ait répondu à l'appel maintes fois lancé sur
les ondes. *Astin Bruno Rodolphe, 18 ans, domi-
cilié à Chelles...* dit la fiche établie par un scrip-
teur qui maniait gentiment la ronde, tandis
qu'au-dessous s'entassent des dates, écrasées par
le tampon encreur. Mais une main rapide a
griffonné en travers, à l'encre rouge : *groupe O,
donneur universel.* Une main rapide, une main
terrible! Au bout de la mienne la fiche tremble
qui ne tient plus entre mes doigts, qui s'en
détache, qui retombe à terre où Laure la ramasse
vivement. Elle aussi a tout de suite compris. Elle
ne sait rien de Landsteiner, ni des quatre
groupes sanguins ni de la transmission de leurs
caractéristiques selon les lois mendéliennes de
l'hérédité. Elle n'ignore pas, tout de même, que
n'importe quel sang ne peut être transmis par
n'importe quel père. Avec vous M. Astin — qui
la voyez partout, qui au besoin l'appelez — la
justice immanente n'attend jamais longtemps!
Vous méditiez un mauvais coup : vous serez
frappé le premier. En une seconde, grâce à ce
bout de papier, un vieux problème que personne
ne tenait beaucoup à éclaircir vient d'être liquidé,
résolu. Vous avez appris par hasard, jadis, dans un
hôpital allemand, quel était votre propre groupe

sanguin, et vous avez assez lu pour savoir que
jamais, au grand jamais, un père AB n'a pu
engendrer d'enfant O.

Laure, qui était pressée, attend, n'ose bouger.
Mais voici que le coucou sort de sa boîte et
chante huit fois. Merci, coucou, tu es bien
aimable, Mais huit fois, c'est trop. Je le savais.
Oiseau comme toi, l'esprit souffle où il peut et
nous octroie parfois un petit messie, escroc de nos
tendresses. Les lis en moins, n'ai-je pas tenu,
comme il le fallait, le rôle de saint Joseph?

« Daniel, murmure Laure, asseyez-vous donc. »
Elle avance une chaise, la bonne âme, puis se
ravise et m'en pousse une autre, parce que la
première se trouvait être celle dont un pied se
déboîte. Je réparerai ce pied, j'aurais déjà dû
le faire. Dans une maison ces petites choses
urgentes sont toujours les dernières auxquelles
on pense et on s'assied dès années sur une chaise
bancale en se disant qu'on la réparera samedi.
C'est comme pour Bruno : j'aurais pu depuis
13 ans, 365 fois par an, plus quatre jours d'années bissextiles, ce qui doit faire 4 750, j'aurais
pu 4 750 fois lui faire faire une prise de sang.
Mais voilà on n'y pense pas, on n'ose, on conserve
son doute, sa chance, on fait son charpentier pour
lui, tandis que l'enfant, comme il est dit dans

l'Ecriture, croît en âge et en sagesse. Et c'est comme ça qu'on se retrouve impréparé, devant une certitude qui ne vous apprend rien, qui ne vous étonne pas et qui pourtant vous écrase sur votre chaise, si lourdement qu'elle en vacille, fût-elle la meilleure du lot.

« Daniel, dit Laure, ces analyses sont bien aléatoires...

— Non, Laure, elles sont déterminantes.

— Peut-être, mais après tout, qu'est-ce que ça change? »

Rien en effet. *Pater is est quem nuptiæ demonstrant.* Il y a dans la nature un affreux, un hasardeux, qui ne compte plus, qui n'a jamais compté, un chien qui comme tous les chiens s'est désintéressé du chiot. Putatif, adoptif, à moi, tous les beaux, tous les légaux adjectifs! M. Astin se lève et dit, rauque :

« Aucune importance. »

Je crois, mon Dieu, je crois qu'il a les yeux pleins de larmes et que Laure est à son côté, Laure, sa lingère, sa ménagère, sa cuisinière, son infirmière, qui met la main sur son poignet et le regarde comme jadis, avec une accablante et grotesque admiration. Elle est bien, Laure, elle est bien, elle a toujours été bien, dans son obscure amitié, impossible à décourager et par

là même décourageante. Mais elle se trompe sur
ces gouttes d'eau, si ridicules au bout des cils
gris d'un barbon. Elle se trompe. L'épreuve est
passée. Aucune importance! C'est mieux ainsi.
C'est mieux qu'il ne me soit rien, qu'il soit le
champi, le gratuit et, en même temps, ce qu'il
m'est. Privilège admirable! On porte le nom de
son père et pourtant nul père n'est aussi père
que la mère est mère, au bout de son cordon,
allongé par tant de soins et de veilles. Tout père,
fût-ce le plus légitime, l'est toujours d'une façon
un peu extérieure, accidentelle et, pour tout
dire, mono-cellulaire. Il m'était réservé de l'être
comme je le suis de toi, petit, il m'était réservé
d'être cet homme qui, des années durant, s'est
trouvé enceint de ta tendresse, qui des années
durant, forçant la nature, dut accoucher de toi.

Non, tu n'es pas mon sang. En Louise, en Michel, est-il si beau, ce sang, qui si peu les
échauffe? Tu n'as pas mon sang, tu as eu plus :
la filiation de la dilection. Aucun être sur terre
ne m'a tant fait souffrir ni tant donné de joie.
Aucun n'est plus proche de moi. Aucun, surtout,
ne m'a mieux reconnu. Ah! la recherche de la
paternité n'est pas ce qu'un vain peuple pense :
une exception, codifiée par la loi. Nous la subissons tous, nous la subissons à l'envers et nul n'est

vraiment père que son fils n'a reconnu pour tel.
Mais du père reconnu qu'importe l'origine?
Comme je l'ai fait pour lui, il m'a légitimé,
celui-là, qui me ressemble, qui voit toute chose
avec une mentalité de poitrine, qui n'a ni ambition ni force ni moyens ni succès pour me flatter,
mais qui disait : *mon père, je ne l'échangerais
pas...*

Les talons de Louise sonnent dans l'escalier.
Bruno n'est toujours pas rentré. Huit heures
sept. La gorge libre, enfin, je regarde le coucou,
dont la volaille reste tapie derrière son volet.
Que sont, en vérité, les accidents de la chair
auprès des décisions du cœur? Dans cinquante
ans, autour de mes os bien grattés par les vers,
qui donc identifierait mon groupe sanguin, mes
chromosomes, ma juste lignée? Tu ne chantes
plus coucou, c'est dommage. Vrai ou faux, sur
cette horloge ou dans les bois, pour ceux qui
demain regarderont la feuille à l'envers, chante,
coucou, raille les généalogies des hommes qui,
tous, de près ou de loin, descendent d'un doux
bâtard accepté par son père. Chante, coucou, tu
ne me nargues pas.

« J'aime mieux vous voir ainsi », dit Laure.
Elle n'a jamais tant parlé que ce soir; elle en
a l'air gênée. Elle écume le faitout, qui frémit

sur un fil de gaz, prend une louche de bouillon,
la verse dans un pot à lait d'émail. Encore que
votre ton flambant, M. Astin, vous honore plus
que l'ironie, comparez donc, prenez exemple
sur tant de simplicité.

« Tout est prêt, reprend Laure. Vous n'avez
plus besoin de moi? Je vais m'occuper de
Maman. »

Elle s'en va, sur un sourire qui ressemble un
peu trop à un pansement. Laissant la cuisine
vide à l'odeur du poireau, elle s'en va, elle est
partie et c'est la première fois que je m'en aper-
çois.

Mais le portillon claque deux fois : Bruno a
croisé sa tante. Il n'est pas huit heures et demie,
mais de toute façon il ne craint plus rien. Ma
réaction contre Odile, il faut me le répéter, est
celle de Bruno contre Marie. Mais Bruno a
dix-huit ans, il n'est pas veuf, il n'a pas de Laure,
il n'a pas trois enfants. Il agissait en fils, qui
prend; je n'agis pas en père, qui donne. Je feins
l'inquiétude noble. Ma vraie pensée me souffle :
« Qu'est-ce que je deviens là-dedans? » Je m'ins-
titue juge de son bonheur, mais c'est pour pro-
téger le mien; et comme du mien je n'ai jamais

été bon juge, je suis en train de le gâcher quand
même. La réserve, le silence où Bruno s'enferme,
c'est moi qui lui en ai tendu la clef; et qui s'enferme en prend vite l'habitude, je ne le sais que
trop. Au service d'un cœur qui n'est peut-être
pas très raisonnable — mais est-ce un mal et qui
peut le dire? — Bruno a de la jugeote, sinon du
jugement. Il sait très bien qu'il n'a que dix-huit
ans, que son flirt — si flirt il y a — ne fait pas
sérieux. Il attend que ce soit ancien, admissible,
que ses chances aient poussé et dans cette attente,
où je n'ai point voulu de part, il se tisse un
cocon : quant au jour de la mue éclatera la chry-
salide, il me sera enlevé d'un seul coup sur un
autre vent. C'est ma propre jalousie qui, travaillant contre elle-même, le sépare de moi.

La porte s'ouvre. Le voilà qui entre, large et
contenu, très soigneusement mal peigné, tout
juste assez débraillé pour être à la page. Il se débarrasse de sa volumineuse serviette, qui contient
son Planiol et lui sert au moins d'alibi. Il dit :

« Mince! Huit heures et quart, je n'aurais pas
cru. Bonsoir. »

Et il m'embrasse.

« Alors, on est allé voir sa petite amie? » dit
sur le ton bonhomme le héros étranger qui s'empare de moi.

Un coup de poing n'aurait pas fait mieux.
Mais la promptitude du réflexe est digne de
Bruno, comme de son âge :

« Pour ne rien te cacher, dit-il, je me suis
arrêté en chemin, au golf miniature de Neuilly-
Plaisance, avec Marie. »

Je n'attendais pas ce nom-là. J'ai de quoi
m'étonner :

« Avec Marie? »

Bruno se lâche sans hésiter, comme si nous
avions souvent parlé de ces choses :

« Oui, dit-il, soucieux. Ça paraît idiot, mais
Odile a la rougeole.

— Si tard, c'est délicat », dit M. Astin.

Et avec une admirable mauvaise foi :

« Je me disais aussi : on ne la voit plus, en
ce moment. »

C'est Bruno qui, cette fois, a de quoi s'étonner. Il oscille entre confiance et méfiance. La
confiance l'emporte. Je finis toujours par craquer, j'ai craqué plus vite qu'il n'espérait. Mais
sa mine devient piteuse :

« Ici ou ailleurs, ce n'est pas si facile », avoue-
t-il.

Ses yeux ne disent déjà plus merci. Ils appellent à l'aide. De l'aide, tout de même, nous n'en
sommes pas là.

XXIII

Bruno ne m'avait caché, au fond, que des intentions, des rencontres qui n'étaient pas des rendez-
vous et son inquiétude de ne pas voir avancer
ses affaires. Je ne lui demandais pas de précisions. Comme pour les vieux chevaux une tape
m'est nécessaire pour sauter l'obstacle et, celui-ci
franchi, je me ressens de l'effort. Un bougon
ergotait en moi : « Bon, acceptons, pour ne pas
braquer Bruno. Ce qui n'est plus défendu a
moins de sel. Une tentation chasse l'autre : la Fac
en est pleine. Ne fixons pas ce petit en l'approu-
vant trop fort, alors qu'il peut, sait-on jamais, se
désapprouver bientôt. Suivons doucement, très
doucement. »

Bruno, lui-même, durant une quinzaine, ne
reparla guère d'Odile. Encore s'en abstint-il
devant sa tante et sa sœur, dont il ne prévoyait
sans doute pas l'adhésion, pour me faire l'hon-

neur de ses allusions, brèves, piquées de loin en
loin, dans la conversation :

« A propos, c'est fini, la fameuse rougeole. »

« A propos, elle a repris ses cours. »

L'à propos, hérité de moi, n'était qu'un discret rappel. Jamais Bruno ne s'était montré plus
prévenant, plus aimable. S'il y entrait une part
de calcul, elle n'était vraiment pas sensible
(moins sensible que la mienne, certainement).
Et l'espérant longuette, j'aurais été tout près de
trouver la situation miraculeuse si depuis la
remise sur pied de la fille Lebleye (la fille
Lebleye : style du bougon), Bruno ne m'était
revenu, le jeudi et le samedi, d'une humeur inégale et parfois massacrante, aussitôt interprétée
par mes deux voix, l'une soufflant : « Elle a du
bon sens, elle! » et l'autre : « Mais qu'est-ce qu'il
lui faut donc, à cette pimbêche? »

Je ne le vis revenir vraiment joyeux qu'une
seule fois. « Ça y est, dit le bougon, atterré. On
a scellé du bec son petit contrat dans l'ombre
d'un couloir. » Mais Bruno annonça :

« Ouin, j'ai les résultats du concours. Je suis
deux cent huitième! Heureusement que nous
concourions pour trois cents places! »

Il se moquait assez de lui-même pour m'épargner la cruauté de lui répondre qu'être reçu

deux cent huitième à un concours inférieur au
niveau de ses études ne constituait pas un haut
fait. Mais il n'était pas créé pour réussir à ma
place, selon mes vues et ambitions, les plus communes assurément.

« Bien, fis-je. Bonne nouvelle pour Odile.

— Je ne pense pas que ça l'impressionne, dit
lentement Bruno. Pas plus que toi. »

Je me reprochai d'avoir éteint sa joie. Point
trop content, en effet, de jauger mon emballe-
ment, il fit trois pas, s'arrêta. Je vis sa tête virer.
Vieille habitude familiale que ma mère m'a
donnée, que j'ai passée à Bruno et que j'appelle
la retraite arabe. On fuit, on file, on se retourne
soudain pour décocher :

« Pour Odile aussi l'enthousiasme est modéré.
Tu trouves que c'est trop tôt, hein?

— C'est en effet bien tôt, Bruno.

— Tu n'es plus contre, mais tu n'es pas encore
pour, reprit Bruno dont la voix traînait de plus
en plus.

— Que ferais-tu à ma place?

— Je ne sais pas, dit Bruno. Je ne suis pas à
ta place, je suis à la mienne, traité en gosse par
tout le monde parce que j'aime une fille, trop
tôt, comme tu dis, comme elle le pense elle-
même, si ça se trouve. Je suis à ma place, tout

seul, craignant au contraire qu'il soit déjà trop
tard. Ce n'est pas drôle. »

Il s'en allait sans doute pour de bon. Non, il
se retournait encore :

« Tout seul, répéta-t-il, parce que tu crains de
l'être. »

J'en restai court. Servie par trop d'intuition,
cette franchise exprimait une force, en disait
l'origine. L'horreur des accents, des tremble-
ments de voix me dessécha une fois de plus la
gorge. Comme il passait la porte, je ne sus que
dire :

« Nous reparlerons de tout ça, si tu veux, à
tête reposée. »

Il avait besoin d'en reparler heureusement. Il
s'enhardit peu à peu, moins pour me persuader,
sans doute, que pour s'entendre. Je lui prêtais
une oreille, aiguillant parfois le monologue
d'une brève question, d'une remarque. Il ne se
faisait pas d'illusions, il y voyait très clair:

« Tu me trouves pressé! Mais à dix-huit ans
une fille est prête. Voilà bien le dilemme : ou je
ne me presse pas et quelqu'un peut me la rafler,
ou je me presse et je risque de ne pas faire le
poids. »

Il ne me laissait pas le temps de calculer combien d'adolescentes pouvait lui offrir la seule
ville de Chelles :

« Tu me diras qu'il y en a d'autres. Quand
on est mordu, il n'y en a pas d'autres. Est-ce
assez bête, hein! Ça fait très chansonnette. »

J'avais pensé la même chose.

« Mais après tout, reprenait Bruno, c'est aussi
le rêve des moralistes et si c'est moins fréquent
qu'on ne le chante, c'est moins rare qu'on ne le
croit. Je vois les copains. Il n'y en a pas plus
d'un tiers pour attendre. Un autre tiers s'amuse,
un autre est déjà fixé. Tu as vu les statistiques?
Jamais on ne s'est marié si jeune. Nous allons
plus vite, comme tout va plus vite. Mais j'imagine que les trois races ont toujours existé et que
les proportions ne changent guère. Pourquoi ne
parle-t-on que de la plus bruyante? »

J'avais un enfant dans chaque race. Je regardais avec complaisance celui-là qui était de la
troisième.

« Ce n'est pas le maire ou le curé, repre-
nait-il, c'est le notaire qui a perdu de l'importance. »

La spéculation, toutefois, ne faisait pas son
ordinaire, cédait plus souvent la place aux bilans.
Il se décourageait :

« C'est encore plus coton d'intéresser une fille que de passer un examen. »

Il s'encourageait :

« Il est vrai que je suis toujours passé de justesse. »

Il se moquait de son insistance :

« Je fais le caniche. »

Il l'approuvait :

« Pour l'instant il faut d'abord qu'elle s'habitue. »

Il ajoutait :

« Comme toi. »

Il semblait craindre un peuple de concurrents. Mais si je venais à prononcer un nom, il l'éliminait vivement, d'un sourire plein de dents. Je finis pas lâcher celui de Michel :

« L'a-t-elle revu?

— Une ou deux fois, je crois. Rassure-toi : elle a été un peu aimantée par sa rapière, comme d'autres, mais elle est la première à en rire. Elle sait à quoi s'en tenir sur son compte. Comme elle dit, il ira loin, c'est un trop bel *égoaste*.

— Et si les choses étaient allées plus loin, Bruno, qu'aurais-tu fait?

— Je me le demande, avoua-t-il. En tout cas, tu peux être certain que Michel l'aurait laissée tomber, Odile, même avec un gosse. »

L'œil noir, il se tut, mais une idée me traversa la tête : il eût été capable, mon fils, de faire encore mieux que son père et ce père d'accepter la folie, en se disant que c'était pour lui la seule manière d'avoir de Bruno un authentique petit-fils.

Les jours passaient. Un jeudi soir, plus sombre que d'habitude, Bruno me demanda :

« Enfin, toi, qu'est-ce que tu ferais à ma place? Je ne dis rien, je ne veux pas risquer un non, j'essaie de l'habituer à moi. Mais si je l'habitue encore longtemps comme ça, il ne me restera pas une chance : la camaraderie, ça blinde. »

Je me gardai de lui rappeler qu'il avait refusé de se mettre à ma place. Je n'étais pas très féru sur la question. Mais je commençais à me piquer au jeu, à mal supporter son désenchantement. Je proposai :

« Manque-lui un peu, Bruno. On s'aperçoit de l'absence.

— Ou on en profite, répliqua-t-il, aussitôt. Tu peux parler! Du temps de Marie, tu étais sans arrêt fourré chez elle. »

Il rougit, se tortilla.

« Quand j'y réfléchis, je me dis maintenant que nous n'avons pas été très chic. Tu as dû en baver. »

Ce fut ce soir-là que, pour lui donner de l'importance sur quatre roues, je lui offris (en me promettant, si possible, d'en acheter une plus forte) de prendre ma voiture, le jeudi et le samedi.

Trois semaines plus tard, Bruno passa par la maison, avec Odile, avant de la reconduire chez elle. L'absence de cette complicité qui tend un fil entre deux regards, la sonorité du tutoiement me plurent. Bien coiffée, campée sur du nylon, Odile avait perdu de sa grâce adolescente, inondée de cheveux et tournant du talon. L'œil était attentif, la poitrine en bouclier; le bout de nez, seul, palpitait. Tout montrait qu'elle évitait avec soin d'avoir l'air engagée, comme Bruno évitait l'air avantageux. Ils ne restèrent pas trois minutes, ne dirent pas trois phrases et je ne ressentis un léger pincement qu'au moment du départ, quand je les vis s'asseoir, Bruno à ma place, Odile à la place de Bruno, avec une aisance de couple qui n'en est pas à sa première sortie et qui retrouve ses façons, ses mouvements familiers.

« Il se dessale un peu, tout de même! dit Louise, par hasard présente.

— Le terme me paraît impropre, répliquai-je.

— Tu ne veux pas dire que ça sent la fleur d'oranger, que tu laisserais faire une bêtise pareille? » reprit Louise, presque sévère.

Près de nous Laure passa, portant le seau à charbon.

« Tu pourrais aider ta tante, fis-je sèchement.

— Laissez-la, dit Laure. Dans son métier il faut défendre ses mains. »

Mais le lendemain, quand elle put me trouver seul et après avoir longtemps rôdé autour de moi, elle osa me réclamer mon avis :

« Vous n'avez pas répondu à la question de Louise, Daniel.

— Elle est prématurée. »

Laure parut offensée et je lui donnai aussitôt raison. La brièveté de ma réponse la repoussait hors d'un débat où quinze années d'adoption lui donnaient au moins voix consultative. Je lui devais de moins hypocrites égards. Je conseillais à ma fille de lui prendre des mains le seau à charbon, mais je ne le prenais jamais moi-même; je traitais Laure avec la considération qu'on peut avoir pour une excellente machine à laver. Lors de la découverte de la fiche de donneur, son attitude pourtant m'avait touché. Elle était un instant comme sortie du mur où, pour moi, depuis

si longtemps, s'aplatissait son ombre. Je voulus
me rattraper :

« Et quel est votre avis, Laure?

— Leur jeunesse ne m'effraie pas, Daniel.
Tout dépend de la petite. Bruno, c'est du lierre
et on ne plante pas du lierre sur une roulotte.
Je ne voudrais pas... »

Elle se reprit, le verbe « vouloir » lui écorchant
la langue, même au conditionnel :

« Enfin, vous le savez mieux que tout autre,
vous l'avez montré d'une façon admirable que
cet enfant a un droit spécial au bonheur. »

Au mot près, toujours le même et encore plus
sucré dans la bouche d'une femme, elle avait
trouvé la formule, elle·y avait mis de l'autorité.
Son corsage en remuait. On côtoie indéfiniment
un être, on ne le devine pas, on vit dans l'indifférence de ses sentiments. Ainsi chez Laure, ce
n'était pas au benjamin, mais à l'abandonné
qu'allait sa préférence, peu marquée, mais pro-
fonde. Je n'aurais pas su dire si j'étais satisfait
que cette préférence s'accordât à la mienne ou
contrarié qu'elle empiétât sur elle. Laure ajoutait :

« Je dis oui, tout de suite, si Odile peut le lui
assurer. »

C'était à moi de dire oui. Mais Laure, au moins, ne pensait pas à elle.

Odile revint quatre ou cinq fois, flanquée de Bruno, qui la rencontrait plus fréquemment dehors. Nous les traitions comme des inséparables, en aucune façon comme des fiancés. J'avais dit à Laure : « Il vaut mieux que ce soit long, pour juger » et à Louise : « Il n'y a rien, je ne veux pas qu'on en parle. » Michel, qui fit deux apparitions durant le troisième trimestre, ne paraissait pas au courant ou s'en moquait totalement. Je continuai à décocher à mon voisin, le père de Marie, un coup de chapeau occasionnel. Une réunion d'anciens combattants m'avait permis de rencontrer son frère, le père d'Odile, agent immobilier qui passait pour un petit requin en affaires, mais cultivait, disait-on, une passion « chelléenne » pour la pierre taillée.

« Vous êtes le père de Bruno? » dit-il en m'abordant.

Et fort civil, il me fit de mon fils les plus grands compliments. A entendre cet homme, dont la prunelle oscillait dans le blanc de l'œil comme la bulle dans le niveau d'eau et semblait chercher à établir la droiture de vos principes,

Bruno était de la catégorie des bons petits jeunes,
rares aujourd'hui, n'est-ce pas, cher Monsieur,
avec qui on peut permettre à sa fille d'aller
danser, canoter ou voir un film convenable
approuvé par la C. C. C. A la saine camaraderie
de « nos enfants » il n'attachait visiblement
aucune importance. Je bus du lait, un quart
d'heure durant, jusqu'à ce qu'y tombât cette
mouche :

« Et Mlle Louise? Toujours aussi pétulante? »
Politesse inquiète : pour la famille Lebleye,
Louise était évidemment l'aventureuse qui, pour
les Astin, se nommait Marie. On me rappelait
que j'en avais trop aisément pris mon parti et je
ne le savais que trop. N'avais-je pas accepté que
Louise cherchât un studio, qu'elle trouvât cette
chose introuvable, grâce aux bons offices de
M. Varange, dont la discrétion tutélaire commençait aussi à lui prêter sa voiture et même,
m'assurait-on, s'offrait à dénicher parmi ses relations, puissamment industrielles, un débouché
pour mon polytechnicien, sans rien demander en
échange, pas même, notamment, la main de ma
fille? Mais qu'y pouvais-je? Louise était majeure,
décidée. Un éclat eût créé un scandale, gênant
Bruno, gênant Michel, rendant plus difficile
pour Louise le coup de harpon qu'elle finirait

par jeter sans aucun doute sur quelque belle proie.

Wait and see, refrain de ma vie. Pour Bruno, l'attente ne serait jamais assez longue. Nous glissions vers de rassurants, d'interminables préliminaires. Craignant pour son prestige, Bruno bûcha fermement son droit dans les deux derniers mois, ce qui lui valut d'être reçu, à un point près. En prévision de son affectation prochaine à un bureau des P. T. T., je lui avais fait opter pour Paris et la banlieue est; mais l'ordre d'admission réglant celui des nominations, il avait peu de chances d'être pourvu avant un semestre. Un problème se posa pour les vacances. Laure, retenue par sa mère, ne pouvait quitter Chelles. Louise partait en tournée à travers l'Italie. Michel nous abandonnait pour la Provence. Sans la présence d'une amie ou au moins d'une autre femme, il devenait trop voyant d'emmener Odile à *L'Emeronce* et difficile, au surplus, de lui confier nos casseroles. Son oncle l'invitait, de nouveau, en Auvergne. Bruno, peu soucieux de l'y laisser seule, se démena, intrigua, je ne sais trop comment, tant et si bien que les Lebleye, nous rendant la monnaie de notre pièce, lui proposèrent de les suivre : on lui prêta la tente d'Odile, à partager avec un acolyte de la tribu. Je lui donnai, bien entendu, la voiture.

Et je restai seul, gai comme un hibou, traversant matin et soir pour aller manger chez ma belle-mère, attendant des lettres, d'Italie, de Provence et d'Auvergne. L'Auvergne m'en expédia d'abord une tous les trois jours, puis une par semaine. Je n'eus ensuite droit qu'à des cartes. La dernière disait : *Nous rentrons lundi.*

Pour illustrer ce pluriel, elle était du reste signée : Odile et Bruno.

XXIV

ACCÉLÉRATION : ils sont rentrés, couvrant d'une traite Aurillac-Paris.

« Ben voilà, salut! » a dit Bruno, laconique et sonore.

Et Odile :

« La voiture ne vous a pas trop manqué? J'étais confuse à l'idée que nous vous en privions. »

Bien polie, bien honnête, elle m'a remercié; elle a vérifié l'huile, les accus, pour me rendre en bon état une mécanique que je ne me souvenais pas lui avoir prêtée, à elle. On ne m'a pas dit pourquoi, partie par le train, Odile revenait avec Bruno, ni quels furent leurs acolytes, ni par quelles autres voies ceux-ci ont quitté l'Auvergne, ni quel fut le commun programme dans le haut oxygène parmi les eaux vives, les bouses des petites vaches rouges, les burons enfumés et les pâtres qui y triturent la fourme. Tel n'est

pas, évidemment, ce qui a compté. On m'a seulement offert une bourriche pleine d'un ramas
de pattes et de pinces, en m'expliquant :

« Il y en a au moins six douzaines. Odile
connaît tous les bons trous. Si tu la voyais appâ-
ter ses balances avec de la charogne de mouton!

— Je vais vous faire une bisque », a dit
Laure.

Le mot convenait à l'instant. Un peu plus
tard, du côté de la cuisine, des tintements d'alu-
minium m'ont appris que Laure salait, poivrait,
empersillait, sans faiblir, le grouillement bref et
désespéré des écrevisses jetées dans l'eau bouil-
lante. Puis elle m'a rejoint sur la terrasse, elle
m'a soufflé :

« Cette fois... »

Cette fois, oui, ça y est. Si nous rappelions à
Bruno ses hésitations, ses petites démarches, il
s'en étonnerait, je gage. Odile et lui, ils sont tous
les deux au fond du jardin, pas cachés du tout,
bien en vue au contraire, assis fesse à fesse, non
sur le banc qui ne demandait que ça, mais sur la
murette. Point de mamours. Point de z'yeux dans
les z'yeux. Leurs jambes pendent, parallèles, et
les quatre tuyaux de leurs identiques pantalons
noirs leur donnent, comme tant d'autres duos
que je croise au bord de la Marne, une allure un

peu homosexuelle. On pourrait s'y tromper,
croire au statu quo, s'ils n'affichaient une discrète entente (manière aussi discrète de nous
mettre au courant) et si je n'avais tout de même
vu, deux fois, se rapprocher les têtes ou, plus
exactement, l'os pariétal de Bruno Astin s'incli-
ner, jusqu'à mélanger du cheveu, vers l'os pariétal d'Odile Lebleye. Dans les temps que voici,
où la mièvrerie est devenue un péché capital,
j'ai bien compris que c'était du transport.

« Comment diable a-t-il fait? murmure M. Astin.

— Il est rassurant », murmure Laure.

Ses sentiments dédoublent les miens, en plus
faible, comme la seconde image du spath d'Is-
lande.

« Il est rassurant, répète Laure, décidément
miraculée de la glotte. Vous autres hommes,
vous croyez toujours que les durs l'emportent.
Mais sauf quelques-unes qui s'en mordent les
doigts, ensuite, les femmes préfèrent vivre avec
les petits doux, pour leur sécurité. Ça ne change
pas. »

Commentaire typiquement Hombourg, poly-
valent et, pour qui l'ignorerait, valable. Je ne
dois point sur l'heure avoir l'air d'un petit doux.
Laure crie :

« Bruno, tu es passé chez grand-mère? »

Le fond du jardin ne paraît pas plus enthou-
siaste que moi, dont le rôle est ici usurpé. Mais
nous glissons vers la grille et traversons mollement la rue ravagée par les jeux de billes; nous
nous retrouvons dans le capharnaüm où Mamette
gît, le chef soutenu par trois oreillers. Laure se
penche sur sa mère qui, de surcroît, devient
sourde; elle crie :

« Odile et Bruno viennent te dire bonjour.
Odile et Bruno... »

On pèse sur la conjonction. Mme Hombourg
ouvre un œil, le darde sur Bruno qui, le nez au
vent, flaire son approbation, forcément tacite;
elle le darde sur Odile gênée, déroutée comme
une immigrante. Elle bave un peu, fait de vains
efforts, lâche un mot pour un autre. Nous finis-
sons par entendre :

« Leblé... Lebléyennerpe... »

— Oui, c'est la petite Lebleye, dit Laure
encourageante.

— Le blé en herbe! » éructe enfin Mamette.

Elle referme les yeux et Bruno s'écarte assez
vite : il n'a pas du tout goûté cette pauvre
astuce. Odile murmure qu'on l'attend chez elle.
Nous repassons la rue, sur les talons les uns des
autres. Bruno se réinstalle au volant, tandis que

Laure — à mon avis c'est une erreur — embrasse
Odile et qu'Odile, plus perspicace, me serre la
main en disant :

« Je vous le renvoie tout de suite. »

La voiture démarre. Allons, ça ira peut-être,
cette enfant n'a l'air ni pressée ni conquérante.
Nous aurons tout le temps de lui faire passer son
examen. Nous voulons bien d'elle, mais il faut
qu'elle comprenne son rôle, qui, dans cette maison, cette famille, ce système tout construit, sera
de s'intégrer, non de soustraire. S'il peut y ajouter, Bruno ne peut rien perdre de ses affections :
elles sont sa réussite. A cette condition, sans hâte,
sans date, oui, ça peut aller, nous arrangerons
ça en temps utile, quand Bruno aura une véritable situation en main, quand il aura fait son
service, après de suffisantes, de charmantes fiançailles qui pourraient bien avoir un côté blanc-
crème comme on n'en fait plus...

« Eh bien, Daniel, vous rêvez, vous restez
planté là? » dit Laure, me tirant par le bras.

XXV

On n'en finit jamais avec soi-même. S'il est une faculté que j'admire chez Laure, c'est d'être encline à croire qu'elle doit ce qu'elle donne, sans estimer pour autant qu'elle soit digne du peu qu'elle reçoit. Bien entendu, en moins de quinze jours, Odile et Bruno furent très vite invisibles. Laure en souriait, trouvant la chose toute naturelle. Pour un peu elle les aurait poussés dehors, le dimanche, quand ils s'obligeaient à nous tenir compagnie une demi-heure, avant de s'éclipser. Moi, je m'enfermais dans une résignation bovine, traversée de grands meuglements intérieurs. Je regardais Bruno. Je disais :

« Vous allez à Chantilly? Il y a bien quinze ans que je ne suis pas allé à Chantilly. C'était avec ta mère... »

Justement lui, il était avec Odile. Un amoureux n'emmène pas Papa; il n'emmène que sa voiture, en regrettant qu'elle soit si petite. J'enrageais. J'avais consenti pour participer. Je ne participais qu'aux frais. Et encore! Dès le mois de septembre, Bruno, affecté au bureau de Neuilly-Plaisance, décida de conserver le tiers de ses appointements et de me remettre le reste à titre de pension. Avais-je besoin de son argent? Sous-lieutenant à l'Ecole d'application de Fontainebleau, Michel ne me coûtait plus rien; Louise non plus, définitivement installée à Paris, chez elle. J'achetais à crédit une Aronde, pour laisser la 4 CV à Bruno, paraît-il, mais en ne doutant pas un instant qu'il m'emprunterait bientôt l'Aronde en me laissant la 4 CV. On participe comme on peut.

Dans le même genre de joies, il m'en restait une : celle d'arrondir les angles. Rien de meilleur que de s'efforcer auprès d'autrui pour s'efforcer auprès de soi. Mamette ne comptait plus, Laure ne pouvait guère avoir d'autre avis que le mien. Mais je pouvais compter sur l'hostilité de Louise et de Michel. Peut-être enhardie par de récents succès qui l'avaient fait défiler sous nos yeux jusqu'au petit écran et par l'honorable interrègne où la confinait la disparition, non commentée, de M. Varange, Louise m'en avait déjà fait tout un chapitre, au téléphone. Dans

son studio où elle ne m'invitait point, où je ne
voulais point mettre les pieds, elle avait maintenant son numéro, un Dorian je ne sais plus combien, que je n'appelais jamais, mais qui sonnait
deux ou trois fois par semaine, pour papoter et
savoir ce que ça devenait, la famille, dans la
vieille baraque. Entre deux éclats de gorge, ma
fille du bout du fil prophétisait gentiment, disant
— et c'était vrai — qu'elle l'aimait bien, le Brunet, mais que vraiment il allait s'enliser, qu'il
n'avait pas de tête, qu'on n'en avait pas pour lui,
en le laissant rêvasser à une fille, gentillette bien
sûr, mais insignifiante et qui n'aurait pas le sou.
Et il m'apparaissait que les incontrôlées ne se
privent pas toujours de prêcher le contrôle d'autrui, que les aventureuses n'aventurent pas tout
et restent parfois fort bourgeoises au-dessus de la
ceinture, sur les questions de finance et d'établissement.

Quant à mon sous-lieutenant, que j'étais allé
trouver sur place, qui m'avait accueilli avec de
l'autorité plein le menton et une belle aisance
galonnée, il réagit, à l'annonce — voilée — des
projets de Bruno par un puissant sourire, d'in-
terprétation facile. Ainsi son frère songeait à ce
qu'il avait dédaigné, à ce qui aurait pu être ses
restes. Il n'en semblait pas plus fâché que de

l'avenir de Bruno, qui lui assurait un définitif avantage.

« Un petit commis des P. T. T., dit-il, gendre d'un aigrefin de banlieue, voilà qui me gênera certainement pour te donner une bru convenable. Freine-le, au moins, le plus longtemps possible. Je lui dirai d'ailleurs ce que j'en pense à la première occasion. »

Il l'eut quelques jours après, mais ne put décemment s'en servir. Le premier dimanche d'octobre, vers trois heures, j'étais seul dans le vivoir, attendant tout le monde et personne, comme cela devenait mon lot, quand Laure traversa le jardin en criant mon nom. Dans son affolement, mécanisé par quinze ans de navette, elle avait oublié de se défaire d'un plateau qu'elle tenait à la main, bien horizontal. Je le lui pris des mains.

« Maman est morte », dit-elle.

Je remmenai Laure au mair, sous le regard des voisins alertés par ses cris. Dans le capharnaüm flottait l'odeur de la tisane de menthe.

« J'allais reprendre sa tasse, dit Laure. Et vous voyez... »

La tasse gisait, brisée, dans une petite flaque

que buvaient les rainures du parquet. Mme Hombourg, fixement, regardait le plafond d'où pen-
daient ses ficelles. Le menton n'était qu'à demi
tombé dans un bâillement final qui paraissait
d'ennui. Je tirai doucement cette pochette de
soie blanche dont elle s'était souvent moquée, la
brave dame, en la réputant démodée, je la nouai
avec un respect presque amusé en songeant à
l'un de ses traits : « Quand on m'aura attaché
la mentonnière, alors seulement, mes agneaux,
je cesserai de vous servir vos vérités. »

Presque aussitôt Bruno arriva seul, qui d'abord
devint vert, mais se maîtrisa très vite, courut
téléphoner à sa sœur, à son frère, se mit en
quatre pour seconder Laure qui s'était reprise
aussi et rangeait tout, préparait tout, en reni-
flant à petits coups.

Le lendemain ce fut encore Bruno qui, avec
moi, s'occupa des formalités : paperasserie, discussion à voix basse sur les tarifs mortuaires,
rédaction du faire-part, mise en bière, réception
d'une cinquantaine de personnes dégurgitant
presque toutes les condoléances réservées à la
disparition des grands infirmes : « Dans son état,
n'est-ce pas, c'est une délivrance pour elle »
(sous-entendu : et pour vous donc, mes pauvres!).

Le mardi matin, sous un petit soleil guilleret

d'arrière-saison, qui lui rendait hommage, Mamette rejoignait le commandant, Gisèle, les
grands-parents, la tante, la tribu allongée au
caveau des Hombourg. Il y eut plus de monde
que je ne le pensais, derrière Michel qui, un
brassard coupant la manche de l'uniforme neuf,
conduisait le deuil. Louise était ravissante, en
noir. Les Lebleye des deux branches, au complet,
encadraient la future bru, décemment pâlotte
et dont j'admis fort bien, cette fois, qu'au moment du défilé, après avoir serré la main de
Michel, elle embrassât Bruno, Laure et moi-
même, devant son père qui se courbait, un melon
sur le cœur. Bachelard s'était délégué lui-même.
Je remarquais que mon cousin Rodolphe avait
beaucoup grossi. Il y avait la tristesse qu'il fallait, dans l'air, et chez qui on la devait attendre.
Je revins presque satisfait et songeant, encore
une fois, à une phrase de Mamette commentant
la mort d'une amie : « Un enterrement de vieil-
lard n'est jamais dramatique; il enlève si peu de
chose à la vie. »

Le moment le plus désagréable vint ensuite,
quand Laure — depuis longtemps chargée de
cette mission — pénétra avec nous dans le
capharnaüm pour ouvrir le premier tiroir d'une
commode Louis XV. (J'essayai de m'arrêter dans

l'évocation, forme pieuse de la nécrophagie, mais
je réentendis : « Elle est fausse, vous savez,
Daniel. ») Du tiroir Laure sortit une boîte de
biscuits contenant trois écrins et une enveloppe,
que Laure nous distribua aussitôt. La chevalière
du commandant allait à Michel; la bague de
fiançailles de Gisèle, que je n'avais jamais récla-
mée, allait à Louise; la bague de fiançailles de
Mamette allait à Bruno, qui ferait suivre. Moi,
j'avais l'enveloppe que je n'ouvris pas tout de
suite, car il nous fallait encore, dans le tiroir du
dessous, violer un demi-siècle de petits secrets,
trier les papiers, séparer le futile de l'important
ou, du moins, de ce que peut considérer comme
tel un notaire.

Quand je lus ma lettre — écrite deux ans plus
tôt — je ne pus m'empêcher de sourire. Forçant
le bâillon de la mentonnière, Mamette avait
voulu me servir d'ultimes vérités :

Ne craignez rien, Daniel, ceci n'est pas un tes-
tament spirituel. Je veux seulement vous remer-
cier de ce que vous avez fait, alors que vous
auriez pu ne pas le faire. Si vous ne m'avez pas
comblée, en redevenant une seconde fois mon

gendre, je reconnais que c'était votre droit et presque notre dû.

Je ne vous recommande personne. Vous êtes déjà trop scrupuleux; vous avez même si fort le tic de la coulpe qu'avec la foi vous eussiez fait un très bon moine. Faites cependant un peu plus attention à Michel : la vie casse les grands raides. Faites aussi un peu plus attention à Louise : j'ai cru un moment qu'elle avait dans le sang le plus virulent des aphrodisiaques : sa jeunesse, mais je vois bien maintenant qu'elle a surtout une ambition de cocotte. Casez-la le plus vite possible. Et suivez Bruno, à la distance qu'il faut.

Un mot sur Laure, tout de même. Songez que vous n'avez pas été seul, dans la famille, à faire le pélican. On n'en meurt pas, on en vit même très bien, n'est-ce pas? Mais les pélicans en retraite risquent de secouer leur bec sur un goitre bien sec...

Elle ne m'apprenait rien, la défunte pythonisse. Elle me laissait deux enfants dont je m'étais mal occupé, un troisième dont je m'étais trop occupé.

Et Laure sur les bras, à défaut d'avoir pu la pousser dedans : je ne le savais que trop. La mort de Mme Hombourg posait un problème délicat.

Elle et sa fille vivaient essentiellement de la
demi-pension des veuves. A la mort du command-
dant, la bicoque d'Anetz avait été dévolue à mes
enfants, en indivis, la nue-propriété de la maison
de Chelles allant à Laure et l'usufruit à sa mère,
ainsi qu'un tout petit paquet d'économies. La
demi-pension disparaissait. Une fois les rentes —
moins de cent mille francs par an — partagées
avec mes enfants, ses cohéritiers, Laure aurait à
peine de quoi entretenir le mair, en payer les
impôts. Il ne lui resterait pas un sou pour vivre.
Si elle choisissait de travailler, tout ce qu'elle
pouvait faire, c'était la dame de compagnie ou,
d'une façon moins décorative et carrément ancillaire qui sauvegarderait son indépendance, la
femme de ménage. (Bienheureuse encore de le
pouvoir! Quand elles se réveillent, ruinées, neuf
sur dix des pécores de la petite bourgeoisie, qui
maltraitaient leurs bonnes, ne sont même pas ca-
pables de prendre leur place.) Si, tant qu'à faire
des ménages elle préférait, au moins provisoirement jusqu'à l'envol du dernier de la nichée,
continuer à s'occuper du nôtre, elle s'offenserait
d'être appointée, elle préférerait certainement
rester parmi nous, au pair en quelque sorte, dans
l'injuste esclavage des vieilles tantes, à qui l'on
fait la charité d'exploiter leur esseulement et

qui, entre deux corvées, rafistolent hâtivement
les nippes qu'elles n'osent remplacer à vos frais.

Restait une solution : vendre la maison en
viager. Mais c'était pour Laure se séparer de
tout ce à quoi elle tenait et, au surplus, dépouil-
ler ses neveux. Quand je le lui proposai, le soir
même, à mots couverts, elle eut un sursaut :

« Vous n'y pensez pas! Les enfants arrivent à
un âge où peut se poser, de manière aiguë, le
problème de l'appartement. On peut très bien
diviser le mair. »

Je la remerciai, chaleureux, et regrettant qu'à
cet effet il fût plus difficile de diviser le pair.

Et la vie reprit. Rien ne fut réglé, sauf la succession, plus faible encore que nous le pensions.
Louise refusa sa part. Michel, qui avait parlé
d'accepter au moins la nue-propriété, ne put
qu'imiter sa sœur. Bruno me fit une scène, parce
que la loi m'interdisait d'en faire autant au nom
d'un mineur.

Il m'inquiétait un peu. La mort de sa grand-
mère l'avait touché, mais n'expliquait pas sa gravité. Il se montrait nerveux, préoccupé, sans raisons apparentes. Il n'avait pourtant pas d'ennuis
avec les Lebleye; j'avais de nouveau rencontré
le père qui, sans se compromettre, m'avait tout
de même dit :

« J'espère que son travail aux postes ne va pas empêcher Bruno de continuer son droit. Malgré mon habitude des affaires, voyez-vous, il y a des moments où je regrette de ne l'avoir pas fait. »

Bruno ne devait pas non plus avoir d'ennuis avec Odile. Pour en être sûr, il suffisait de le regarder, près d'elle, de me souvenir d'un temps où nous avions l'un pour l'autre ce sourire soudé au plomb chaud du silence.

XXVI

Je serai toujours un jobard. Je voyais bien que ça n'allait pas, que Bruno tournait autour de moi, cherchant l'occasion de me dire quelque chose et y renonçant à la dernière minute, selon la méthode : Remets-à-demain-ce-qui-demain-sera-plus-facile. J'avais même cru deviner chez Odile, je ne dis pas une emprise, car elle devenait évidente, mais bien une pression, tout au moins une attente énervée. Il va de soi que, ne sachant aborder personne et détestant en moi cette faiblesse, je la déteste encore plus quand je me sens le bourreau, quand je deviens à mon tour le bonhomme inabordable autour de qui l'on tergiverse et murmure.

Je me disais : « Quoi, les Lebleye feraient-ils machine arrière? A cause de la situation? Mais ils l'ont pratiquement acceptée. Songeraient-ils à un autre parti, plus brillant? Alors ça, mes enfants, vous me la baillez belle, tout Chelles sait que l'agence Lebleye marche mal, qu'elle est âprement concurrencée par au moins cinq autres cabinets. D'ailleurs nous tenons la fille, nous la tenons bien, nous ne lâchons pas; je n'ai pas du tout envie de voir s'effondrer Bruno, j'ai eu assez de mal à m'efforcer, je ne me vois pas du tout m'efforcer encore pour une autre, plus dangereuse et voleuse d'enfant que cette petite, après tout convenable, mesurée, capable de faire l'affaire, de ne pas mettre en morceaux la famille. »

Une inquiétude m'avait encore traversé : « Aurait-on eu vent, par hasard, de l'origine un peu particulière de Bruno? D'abord, on ne peut pas le lui reprocher. Si quelqu'un a le droit d'avoir la salive amère à ce sujet, c'est moi et moi seul, qui depuis longtemps ne l'ai plus. Ensuite, je ne vois pas comment on saurait; il n'y a que trois témoins, dont un vient de mourir et je réponds des deux autres, murés depuis quinze ans dans leur précieux silence. Du bon, du très bon acte de naissance que nous possédons, nul ne nous ferait démordre. » Je ne voyais pas, je ne vois jamais. J'étais prêt, en tout cas, à défendre mon fils...

Et voilà que, légèrement en retard et se brûlant pour avaler son petit déjeuner, Bruno laisse tomber son bol qui par miracle ne se casse pas, ne lui répand même pas son chocolat sur les pieds. Pourtant il jure, se baisse, ramasse le bol et d'un geste excédé le renvoie s'écraser sur le carreau. Laure, qui repassait le linge de Louise — car Louise lui envoie son linge! — se baisse à son tour, ramasse les morceaux devant son neveu et dit, avec un calme plus vexant que tout reproche :

« Il y a quelque chose qui ne va pas, mon petit. »

J'enchaîne :

« S'il y a quelque chose qui ne va pas, tu pourrais peut-être le dire, Bruno. »

Retraite arabe. A la porte, Bruno se retourne :

« Excuse-moi, dit-il, je craignais que ça te hérisse. Nous en parlerons à midi. »

Laure attend que le bruit de ses pas décroisse, reprend son fer et l'enfonce dans une manche de chemisier, qui se met à fumer.

« Sortir tous les jours ou presque avec une jeune fille, dit-elle, et savoir qu'on l'attendra trois ans, il y a de quoi travailler un garçon.

— Et vous croyez...?

— ... qu'il va vous demander de hâter ce mariage, oui, j'en mettrais ma main au feu.

— Avant même d'avoir fait son service! Qu'il n'y compte pas », grogne M. Astin.

Entracte. Je passerai mon humeur sur mes cancres. Bruno qui de Neuilly-Plaisance n'a pas trois kilomètres à faire et revient déjeuner avec sa tante, a oublié que d'ordinaire je ne rentre pas avant le soir. Mais je rentrerai tout exprès. Bruno attaque déjà l'escalope.

« Alors? dit le père.

— Ecoute, Papa, laisse-moi finir », dit le fils, la bouche pleine.

Quatre coups de fourchette, Bruno s'essuie les lèvres, boit, se ressuie, c'est un garçon bien élevé.

« Ecoute, Papa... »

Je ne fais que cela, de l'écouter; Laure aussi, qui mâche presque sans remuer le menton. Enfin la bonde saute et fuse une petite homélie, qu'on a dû préparer, entre deux mandats-cartes.

« Ecoute, Papa, voilà, je suis nommé maintenant, je gagne ma vie. Bien sûr, ce n'est pas le Pérou, et il n'y a pas de quoi me vanter, mais dans quelques années, si j'ai pu continuer mon droit, si je réussis l'Ecole Sup, je passerai dans les cadres... »

Préambule. Rien à faire avec le sujet : nous savons tout cela. On insiste pourtant tandis que je chipote dans le ravier. On me fait briller les

titres qui flamboient au-dessus du peuple des
blouses grises, dans la poussière des bacs à
paquets, des casiers perforés, des petits sacs à
sous-caisse : contrôleur, inspecteur, rédacteur,
receveur et, pourquoi pas, puisqu'il y en a, directeur. Mais Bruno est modeste et, dans cette modestie, pratique :

« De toute façon, si je bute, dès que je serai
commis principal, je demanderai une petite
recette. Avec les remises, ça devient intéressant...

— Bref...? dit papa.

— Bref, répète Bruno sans ironie, puisque je
suis dans la filière, je ne vois pas pourquoi nous
attendrions, Odile et moi. »

Laure ne bouge ni ne cille. Pas plus que moi.
Bruno se fait tentateur :

« Que je me marie ou non, ça ne change rien.
Nous pourrions loger ici, avec toi. Odile travail-
lerait...

— Et vous laisseriez le ménage à votre tante?
demande soudain M. Astin, pointu.

— Mon Dieu, dit Laure, s'il n'y avait que ça!

— Et vous parasiteriez la famille, reprend
M. Astin, sévère, vous la parasiteriez gaiement,
comme le fait normalement un enfant, mais
comme il n'est pas d'usage que le fasse un
homme, quand, prenant femme, il prend ses res-

ponsabilités? Là-dessus encore, passons, je ne suis pas chien. Mais tu crois qu'avec tes moyens, une fois marié, tu ferais ton droit, ton Ecole Sup, ou quoi que ce soit? J'en aï connu des pressés, fous de petites bien sages, qui les ont épousées trop vite, en se jurant de continuer leurs études, avec plus de cœur que jamais, n'est-ce pas, et qui se sont enlisés dans leur lit, puis dans le boulot, la bricole, les fins de mois, les mille emmerdements du quotidien. Sans compter les braillements! Les petits ménages, qui veulent hâter leurs grandes amours, ils les hâtent si bien, en effet, qu'ils se retrouvent très vite sur un tas de couches sales. »

Bruno — cet enfant! — rougit. Il a tout de suite perdu pied, il articule faiblement :

« Papa...

— Non, Bruno, je t'ai déjà laissé brûler les étapes. Je ne peux pas t'aider moi-même à t'enfoncer. As-tu seulement réfléchi à ce que deviendrait Odile quand on t'enverra en Algérie défendre durant deux ans les pétroles de la patrie, en laissant ta femme, si ça se trouve, avec un gosse sur les bras? »

Nouvelle retraite. Bruno abandonne son dessert, intact, jette sa serviette et se dirige, comme ce matin, vers la porte. Parvenu là, il rassemble son courage :

« Excuse-moi, Papa, dit-il très vite, mais le gosse, justement, il est fait. »

Et moins courageusement il se sauve vers la 4 CV, laissant encore une fois sa tante ramasser les éclats.

Il n'y en aura pas. Mais de l'abattement, de la confusion, chez moi, chez la tante, qui dévide avec application la peau d'une pomme, en une seule pelure, il y en a.

« Nous ne méritions pas ça », murmure Laure, se plaignant pour la première fois.

Elle a de la chance d'avoir des mains qui ne peuvent rester tranquilles et l'empêchent d'avoir l'air anéantie.

« Bruno! Je n'arrive pas à y croire. Mais comment a-t-il fait? reprend Laure, stupide.

— Comme tout le monde », s'écrie M. Astin, qui voudrait du silence.

A son glorieux destin un beau chaînon s'ajoute. Le doux, le cher petit, le tendre comme on n'en fait plus, voilà qu'il continue de bâtard en bâtard l'abonnement familial. Aveuglement des pères, que vous êtes précieux pour réputer candide votre postérité! Je le vois encore sur la murette, avec la fille Lebleye, je le vois la frôlant

seulement de la tempe, si correct, qu'il pensait
Papa, si anachroniquement correct qu'il n'avait
peut-être pas, son Bruno, esquissé le moindre
touchi-toucha. Eh bien non, ce n'était pas ce que
vous croyiez : l'horreur du gnan-gnan, le souci
de ne pas se noyer dans le sirop. On était tout
bêtement saturés, on s'offrait le luxe d'être
calmes. A quoi bon regoûter les prémices, quand
on s'est octroyé tout le lot!

« Mangez, Daniel, dit Laure. Ne vous mettez
pas en retard. Nous aviserons ce soir. »

Je mange. La fin des radis, qui sont creux. Du
bœuf, je crois. Non, du veau. Une poire, tout
épluchée, épépinée, coupée en quatre, moelleuse
et qui n'a goût de rien. Au moral, Bruno me
ressemblait, croyais-je. Enorme différence, pourtant : où j'ai trop attendu, il n'attend pas assez;
où je n'aurais pas commencé, il en a déjà fini;
où j'ai trop de patience pour mon mal, il a l'impatience du sien. Car le voilà bien avancé, le
pauvre petit! Coincé. Fait comme un rat. Obligé
de hâtivement réparer. Il le fera, il le fait d'enthousiasme. Aujourd'hui. On a beau dire, réparer, réparer, le verbe le dit bien qu'il y a eu de
la casse, qu'il faudra faire sa vie avec de l'occasion, y penser, surveiller secrètement la fêlure
qu'on a faite soi-même, bien sûr, mais dans une

pâte qu'on soupçonnera fragile, capable de
fendre ailleurs. Je date? Eh bien, tant pis, je
date. Maman disait : « Ne s'aide pas qui cède. »

Elle le disait pour moi, qui ai beaucoup cédé.
Comme d'habitude l'imprécation me va mal.
Quand une fille cède à un garçon, du reste, le
garçon cède tout autant à la fille et, en elle, ne se
respecte pas. On pourrait dire : il se trompe. Et
même : il la trompe, avec son propre corps.
Comme j'ai trompé Marie, avec elle-même.

Non, ne soyons pas trop dur et juge avant
d'être jugé. *Que celui qui n'a jamais péché, lui
jette la première pierre,* est-il dans Marc, qui
ajoute, l'Ecriture ayant parfois de l'humour :
*Et ils s'en allèrent tous en commençant par les
plus vieux.* J'exagère. Il n'est pas vrai qu'Odile
égale Gisèle, comme je feins de le redouter. Au
moins n'est-elle pas adultère. Et quelle part à
l'amour, et quelle part à ces sens que nous refu-
sons à nos filles pour les accorder à nos fils? Il
n'y a point ici la traîtrise des femmes s'autorisant
des leurs pour doubler les époux. Il y a même
fort loin des faiblesses de Louise, sauvant les
apparences, à ce franc abandon qui ne s'en soucie pas. Il y a la bêtise; et la malpropreté
humaine des tendresses, dont le sexe est l'appât
d'une infirme nature. Il y a la douce reddition

du drap, du drapeau blanc : à relaver toujours.

« Deux heures moins vingt. Votre cours! » dit Laure, inquiète.

L'homme au bas de soie, l'ex-évêque, dans son échelle de références avait tort : c'est une faute, bien sûr, mais ce n'est pas un crime.

Second entracte. Dès six heures je serai de retour, attendant Bruno pour sept et demie. Mais à huit, il ne sera pas là. A neuf, non plus. A dix, Laure sort et ressort, pour inspecter le fond de la rue, couloir de silence sous deux voûtes tremblantes d'ampoules et d'étoiles. Enfin, le téléphone sonne. C'est Louise.

« Bruno est chez moi, dit-elle, avec Odile. Figure-toi qu'ils n'osent pas rentrer. Evidemment, c'est malin! Un berceau comme corbeille, elle s'amusera très vite, Odile. »

Commentaire de moralité :

« Ils ne pouvaient pas faire attention, non? »

Saint Malthus me pardonne! Je ne trouve pas la circonstance aggravante, si le résultat l'est. Coupons court :

« Dis-leur de s'amener, au trot. Je ne dévore personne. »

Ils n'arriveront qu'à onze heures, moins

penauds que je l'eusse été en telle circonstance,
mais avançant tout de même à la file indienne,
Odile derrière Bruno, obligé cette fois d'être
brave et dont le dos sert de bouclier.

« Ne compliquez pas votre cas en faisant les
serins, dit Laure, prenant la petite par la main.
Vous, Odile, asseyez-vous. »

Elle pense à tout. Cependant qu'on assoit la
gravide, dont je comprends mieux pourquoi se
développait l'appétissante poitrine mode, je cherche une ouverture et je crois la trouver :

« J'avoue, Odile, que j'avais confiance en
vous.

— Ne l'accuse pas, dit Bruno. J'ai eu assez de
mal. »

L'aveu fait sursauter Odile elle-même.

« Tu ne vas pas me dire que tu l'as fait
exprès? dit Laure.

— Si! » dit Bruno, carré.

Il se reprend :

« Enfin, pas le gosse.

— Tu me déçois, dit M. Astin. A toi aussi je
faisais confiance.

— Oui, dit Bruno, mais tu n'étais pas chaud.
Et puis, Odile, je peux bien le dire maintenant
devant elle, ne paraissait pas décidée. J'ai saisi
une occasion, un soir que...

— On ne te demande pas de détails », dit Laure.

Et, lentement, tournée vers Odile :

« Vous n'étiez pas décidée et vous lui avez donné une occasion?

— Il n'avait pas compris », dit Odile.

Et plus bas, avec un accent, qui soudain la transforme :

« Il ne sait rien dire, il a peur de tout le monde, il ne croit jamais à ses chances. Au moins cette preuve-là... »

Un ange passe qui a la plume chaude, s'il ne l'a pas très blanche. Laure s'absorbe puis sort d'un calcul mental qui lui faisait remuer les lèvres :

« Si je comprends bien, ça date des vacances, vous êtes déjà enceinte de trois mois. »

M. Astin, que l'humeur regagne, a d'autres préoccupations. Quand elle l'est de son plaisir, fille avertie en vaut deux.

« Et depuis, dit-il, vous avez continué?

— Puisque c'est ma femme », dit Bruno, tranquille.

Nous ne parlons pas la même langue. Ils n'ont pas honte, tous deux; ils sont seulement ennuyés, ils ont eu peur de rendre des comptes à ces

parents qui vivent encore sur des notions
abstraites et semi-religieuses de pureté, d'inté-
grité, de légalité, quand suffisent si bien, du
cœur comme du corps, la franchise et la simplicité. Au creux des sentiments il n'y a pas pour
eux, comme pour nous, la bête originelle, la bête
tapie pour les surprendre. Ils l'habitent, leur
bête, familière, innocente et l'heure venue de
boire, de dormir ou d'aimer, ils lui donnent la
joie de ses nécessités.

« Sans compter les nôtres, dit M. Astin, vous
vous êtes gâché quelques satisfactions. »

Propos de circonstance, pour rester le père
noble. Bruno n'en doute pas :

« Excuse-moi », murmure-t-il.

C'est la troisième fois qu'il le dit aujourd'hui,
sans employer un verbe plus fort. Mais que je
l'excuse ou que je lui pardonne, la situation
reste la même. Nous sommes quatre ici, destinés
à nous accrocher à cette rue, à vivre ensemble.
Ce mariage hâtif mais inévitable, ne peut pas se
faire contre moi. Je ne peux même pas avoir
l'air de m'y résigner, sous peine d'exclusion
future. Je suis, je dois être le bon père de famille
qui, dans l'intérêt du couple, ergotait sur des
dates, qui regrette une coucherie de fiancés,
réputée courante par des statistiques qui affir-

ment même que moins de trente pour cent des
époux ont une vraie nuit de noces. Réservé, encore triste parce que l'affaire est fraîche et qu'il
faut aussi être digne, nous, dépositaire des principes, mais déjà tout bon, tout sacré-cœur, bénis-
sant les coupables, je n'ai plus pour sortir d'embarras qu'à me montrer le plus pressé :

« Evidemment, il faut faire vite.

— Odile, vos parents ne se doutent de rien? »
dit Laure, aussitôt.

La petite fait non, de la tête. Sa mine s'allonge. Elle en redevient toute gosse, fragile, charmante d'ignorer l'attendrissement trouble que
font naître la chute de ses longs cils humides et
l'idée qu'en cette grâce fautive se développe une
greffe d'avant-printemps. Les parents du Vieux-
Chelles lui font plus peur que nous : ceci lui
sera compté. Laure me touche le bras :

« Si vous voulez, Daniel, je la raccompagne et
je parle à sa mère. Entre femmes, ce sera plus
facile.

— Dites-lui que je recevrai M. Lebleye ou
que j'irai le voir, comme il voudra. »

Laure passe un manteau. Depuis que, sa mère
disparue, elle représente la ligne maternelle, son
mutisme, sa soumission s'atténuent, décidément.
Elle n'y gagne pas seulement en présence et en

autorité : on dirait qu'elle commence à vivre. Mais l'heure n'est pas à ces considérations. Bruno embrasse Odile sur la bouche.

« Allez, ma petite fille », dit M. Astin, qui s'est détourné.

XXVII

Le genou sec et flanqué de Madame, qui picote le gravillon du bout d'un parapluie, voilà l'autre père qui m'arrive, le lendemain, en l'absence de Laure, partie faire son marché. Il a pour me serrer la main la même expression qu'au cimetière et s'assied.

« Nous sommes bouleversés », dit-il, en mettant ses gants dans son chapeau et son chapeau sur ses genoux.

Mme Lebleye soupire sous son collier, tourne de la prunelle, qu'elle a terne, couleur de bois, exactement faite comme le bout non taillé d'un crayon. M. Lebleye reprend :

« Quand je songe à nos situations... »

Il se croit tenu, bien sûr, à un honorable exorde. La crise passée, je m'amuse presque. Le père du fils est toujours dans une situation plus confortable que le père de la fille, puisque la

fille seule, on se demande pourquoi, est réputée
déshonorée. Se voir livré aux clabaudages, gémit-
on, malgré vingt ans de réputation sur la place,
de vie stricte, sans compter l'aide apportée aux
œuvres locales et l'aimable notoriété acquise
dans ces travaux sur le premier âge, dit chelléen,
de la pierre taillée! J'approuve du menton, lorgnant la raie aubergine du revers, que vingt ans
de professorat ne m'ont pas encore value. On en
vient à la stupéfaction qu'un père peut éprou-
ver quand sa fille, bien connue de tout Chelles
comme une enfant sérieuse, se laisse séduire par
celui-là même dont on aurait le moins attendu
cette vilenie. Ceci juge la fille, selon moi, autant
que le garçon. Mais évidemment, pour le bonhomme qui traiterait sans doute de salope la fille
coupable de sa voisine, sa propre fille ne peut
être qu'une victime et lui-même un justicier
auprès du suborneur et des siens. D'où l'œil,
sur moi dardé. Mme Lebleye renifle : sincère
d'ailleurs à n'en pas douter. Je me demande :
« Pourquoi la douleur d'autrui, dès qu'elle est
revendicative, semble-t-elle si ridicule? » M. Lebleye continue. Il n'excuse pas Bruno, il ne veut
pas l'accabler; il n'accable que l'exemple, donné
par ceux-ci ou celles-là qui, dans chaque
famille...

« Il ne sert plus à rien de récriminer », dit Mme Lebleye.

M. Lebleye baisse d'un ton, réclame un mariage rapide, qui pourrait être suivi, en temps utile, d'un séjour en province où Odile accoucherait, discrètement, dans une retraite assez longue pour brouiller les dates.

« Vous avez, je crois, une petite maison près d'Ancenis?

— Elle est même à mon fils, dis-je, pour faire valoir Bruno, propriétaire.

— Pour un tiers, oui, je sais », dit M. Lebleye. L'envoi d'Odile à *L'Emeronce* me paraît superflu : on a le courage de ses actes et les précautions de ce genre ne font qu'exciter les rieurs, sans jamais troubler l'état civil dont les bulletins de naissance proclameront toute la vie que vous êtes né six mois après le mariage de vos parents. Mais nous entrons évidemment dans le vif du sujet : questions de logement, de situation, de ressources. *In the end all passions turn to money.*

« Ils n'ont pensé à rien, nous devons y penser pour eux, dit M. Lebleye. Je ne vous le cache pas, quarante mille francs par mois, pour un jeune ménage qui aura tout de suite un bébé, cela me paraît plus que juste. Et je ne vous le cache pas non plus, actuellement je ne saurais pas faire grand-chose.

— Ne vous inquiétez pas, je donnerai le complément, dit M. Astin.

— Quant à moi, reprit M. Lebleye, j'aurais volontiers logé le couple, si Odile n'avait deux petites sœurs et si nous n'étions assez à l'étroit. Mais peut-être Mlle Laure qui est si seule maintenant dans cette grande maison pourrait-elle donner l'étage aux enfants.

— Laure est pauvre. Elle n'a pour ainsi dire rien en dehors de sa maison. Les enfants seraient obligés de lui payer un loyer.

— C'est bien ainsi que je l'entends.

— Ici, ils n'en paieront pas. Et ils n'auront pas de meubles à acheter. »

M. Lebleye hésite, déplace son chapeau, puis se lance :

« Vous allez m'excuser, monsieur Astin, si je me montre aussi rond, aussi franc qu'en affaires. Il ne s'agit pas d'une solution provisoire, mais d'un long avenir. Si respectueux, si aimant qu'il soit, un jeune ménage a besoin d'indépendance. D'autre part, en cas d'accident, de succession, il faut tout prévoir, les enfants seraient considérés comme occupants sans titre.

— Je peux leur faire un bail. »

M. Lebleye regarde Mme Lebleye. Ai-je lâché
une bêtise? M. Lebleye, dont s'entortillent les
paupières, glisse une nouvelle objection :

« Mais vos autres enfants...

— Ils sont pratiquement casés. Quant au partage futur — il faut en effet tout prévoir — eh
bien, disons que cette maison sera pour Bruno,
celle d'en face et *L'Emeronce,* pour Michel ou
Louise, au choix. »

Je viens de disposer bravement du bien de
Laure, compris dans le lot. M. Lebleye n'en marque aucun étonnement. Il murmure tout de
même :

« Mais Mlle Laure...

— Laure et moi, vous savez!... » dit M. Astin.

M. Lebleye de nouveau regarde Mme Lebleye
d'un air entendu.

« Oui, je sais, dit-il, vous vivez depuis quinze
ans dans une entente étroite. »

Le mot *entente* a sonné curieusement.

« En somme, si j'ai bien compris, c'est vous
qui passeriez en face avec Mlle Laure? »

J'en reste cloué. Croient-ils que... Je n'y avais
jamais pensé : pour beaucoup le dévouement
inhumain de Laure a pu s'interpréter, trouver
de sales raisons dans la tête des gens. Mais n'est-
ce pas moi qui suis en train d'interpréter?

M. Lebleye veut peut-être dire que, me réservant
l'étage du mair, je songe à lâcher tout à fait le
pair. S'il m'en croit capable cet homme — qui,
lui, ne fait aucun sacrifice, qui abuse de sa situation d'offensé — il a de l'estime pour moi. Il en
a trop. J'ânonne :

« Je crains de m'être mal expliqué... »

Ma confusion m'enferre, qui peut encore donner à penser. M. Lebleye se lève :

« Je vous en prie, monsieur Astin, ceci ne
nous regarde pas. Vous faites ce que vous entendez. Résumons-nous. Nous marions d'urgence ces
enfants, ils s'installent ici, nous les aidons jusqu'à ce qu'ils soient en mesure de se suffire.
Dieu merci, s'ils ont fait une bêtise, ils ont la
chance d'être nés dans deux honnêtes familles.
Je le disais à ma femme, en arrivant chez vous :
« Tout ça est fâcheux, bien fâcheux, mais avec
« M. Astin, nous ne craignons rien, il aura vite
« fait de remettre les choses en ordre. »

Il parle, il parle, il me déborde. Quand per-
drai-je à la fin cet embarras de la glotte, ce goût
d'être coupable et de payer mon dû à qui je ne
le dois pas? Les gémissements du père Lebleye,
dont je m'amusais, n'étaient qu'une bonne préparation, destinée à me mettre mal à l'aise pour
obtenir le maximum. Elle est ravie, l'agence.

Lorsque « les choses » se seront tassées, notre alliance ne pourra qu'augmenter son crédit sur « la place ». Une maison pour la fille, toute meublée, avec le téléphone, deux mille mètres carrés de jardin, l'affaire est excellente. De l'œil, ce professionnel sonde les murs et les toits.

« Il faudra que nous passions à la mairie pour les bans, dit-il encore. Après-demain, trois heures, voulez-vous? Non, c'est vrai, à trois, j'ai un client. Disons quatre. Je vous attendrai en bas, sous le drapeau, avec ma fille.

— Non, dit M. Astin, j'ai cours. »

Nous irons finalement après-demain, onze heures, si Bachelard m'y autorise. A la grille, M. Lebleye, Mme Lebleye ont, cette fois, la poignée de main nerveuse. M. Lebleye murmure :

« Je ne pense pas qu'un contrat... »

Geste évasif de ma part, auquel répond le même geste, généreusement indifférent. Nul besoin de notaire. Communauté légale. Les enfants n'ont rien et les seules espérances, fort minces, sont de mon côté.

Ils sont partis. J'arpente le vivoir. Je tente de faire le point. Plus j'y repense, plus je me sens l'oreille cuisante, moins j'arrive à croire que

M. Lebleye ait pu se méprendre. *C'est vous qui passeriez en face...* Fortunat, mon vieux maître, appelait cela : le conditionnel de suggestion. Qu'une insinuation l'accompagne, il se peut. Mal venus, les Lebleye, dira-t-on, d'y songer! Voire. Sur les apparences les roués sont les plus stricts et c'est encore montrer leur horreur du scandale que d'en aller gratter un autre, serait-il inventé. Cette sorte de gens n'a aucune peine à prendre l'avantage sur moi. Ils flairent immanquablement vos gênes comme vos fiertés et, se servant des unes pour exciter les autres, ils ont le génie de provoquer des réactions qu'ils se garderaient bien d'avoir eux-mêmes, mais dont ils tirent aussitôt profit. *C'est vous qui passeriez en face...* Tout serait si bien en ordre, les ragots étouffés, le petit ménage au large, la maison nettoyée d'un père envahissant...

Il va fort, le bonhomme, mais pour se le permettre il a bien ses raisons. On peut là-dessus lui faire confiance, il aura tout pesé, calculé. Il est, pour moi, grand temps de le faire. Résumons-nous, comme dit M. Lebleye. Nous avons à caser, harmonieusement, de telle façon que chacun puisse vivre sans gêner l'autre, sans manquer de ressources, de logement et d'amour, nous avons à caser de l'un ou de l'autre côté de la rue

M. Astin, Laure et le couple. Le problème ressemble étrangement à celui du passage du pont par le loup, la chèvre et le chou. Voyons toutes les solutions.

Première solution, déjà écartée, mais à noter pour le principe : le couple va s'installer où il veut. Il n'a ni logement, ni meubles, ni ressources suffisantes. M. Astin reste chez lui, sans fils, sans ménagère. Laure reste chez elle, affamée. Tout le monde est perdant.

Deuxième solution. Le couple va s'installer au premier étage du mair. Même s'il paie un loyer, Laure n'en reste guère moins désargentée. M. Astin reste chez lui, demi-abandonné, Laure, qui pouvait honorablement élever ses neveux, ne pouvant plus — comme dans le cas précédent — servir de bonne à son beau-frère, émarger à son budget sans être soupçonnée. Pour la même raison il ne saurait s'en aller chaque jour, hôte payant, manger sa petite côtelette chez Mlle Hombourg. Il a l'air d'un égoïste qui a gardé son bien, qui a laissé sa très pauvre belle-sœur sacrifier le sien à sa place. S'il peut à la rigueur prendre pension chez son fils, on ne voit plus très bien pourquoi ce fils aurait traversé.

Troisième solution. Le couple s'installe au mair. Laure se dépouille complètement et

vient s'installer chez moi. Tous commentaires
inutiles.

Quatrième solution. Le couple s'installe au
pair, avec moi. Nous savons bien, monsieur
Astin, que cette solution-là vous allèche. Elle a
un côté miraculeux : le long avenir, dont parlait
le beau-père, semble, à notre profit, récupéré.
Mais Laure, éliminée, n'a plus qu'à mourir
d'inanition; la jeune maîtresse de maison n'aura
plus aucun besoin de ses services, si même elle
n'en prend pas ombrage. D'autre part, la maison
ne se divise pas : nous devrons vivre en commun.
La répartition des chambres devient épineuse,
puisqu'il n'y en a que trois : celle des garçons,
celle de Louise, celle du père. Il faut pour coucher le couple priver quelqu'un de la sienne.
Coucherons-nous les mariés dans le vivoir? Solution peu pratique. A la rigueur, je peux me
dévouer, coucher dans la chambre des garçons,
que je partagerai avec Michel, lors de ses rares
visites. Mais, on vient de me le dire, c'est ma présence même qui sera vite mise en cause. Les
jeunes mariés — les vieux, aussi, du reste — sup-
portent mal les témoins. Nul ne tient la chan-
delle dans une intimité. Dans leurs sorties, leurs
menus, leurs aménagements, les invitations, leurs
propos, leurs horaires, ils seront obligés de se

contraindre, ou de me négliger. Dans les deux
cas nous n'aurons qu'un faux paradis, en abî-
mant le leur.

Cinquième solution. Le couple s'installe au
pair, seul. Il y a de la place. Il peut réserver leur
chambre à Louise et à Michel. Moi, je vais en
face, comme en a si fort envie M. Lebleye. Passons sur le sacrifice de mes habitudes, de mes souvenirs, de ma maison : il n'est pas fait, certes,
mais il ne blesserait que moi. Envisageons les
deux variantes : *A*) Laure divise et me loue
l'étage. *B*) Nous vivons en commun. Dans le premier cas nous revenons à la solution deux, inver-
sée, aggravée par le qu'en dira-t-on. Dans le
second, c'est un vrai mariage blanc, qui sera
réputé noir.

Il n'y a pas de solution.

Non, je dis bien, il n'y a pas de solution.
Toutes sont boiteuses. Mais qui ricane? C'est
vous, Mamette, qui répétez : « Si vous aviez
épousé Laure... » Evidemment. Un mariage
blanc, célébré, reste blanc. Un vrai mariage
aurait d'ailleurs les mêmes effets. Voilà donc
pourquoi — je n'y avais sur l'instant pas prêté
attention — on m'a dit : C'est vous qui passeriez
en face avec *Madame* Laure. Une indication.
Une femme sans ressources avec maison, un

homme avec ressources sans maison : il avait tout
de même vu *la* solution, le père Lebleye.

Riez, monsieur Astin. Pensez : « Pour une
fois que le loup avait envie du chou, on lui offre
la chèvre. » Riez encore. Pensez : « Epouser
Laure après m'en être si longtemps défendu!
Mais quand je serai mort, au caveau descendu,
entre mes deux femmes, l'une et l'autre belle-
sœur de leur sœur comme de leur époux, Mamette, riant plus fort que moi, d'un cubitus
pointu me donnerait des coups de coude. »

Mais Laure rentre, traînant son cabas d'où
émergent des fanes de carottes. Pensez à la
rigueur : « Le pélican dégorge ma provende.
Tant que je serai là, pélican associé, on ne
secouera pas du bec, sur un goitre trop sec. Mais
ce sont les petits, les petits affamés, qui pourraient nous manquer. »

La porte tourne sur des gonds bien huilés.
Laure apparaît plus mince, plus nette dans la
robe qu'elle a fait teindre en noir à la mort de
Mamette. Une ride bouge sur son visage lisse.
Elle tend une petite enveloppe à carte de visite.

« Bruno m'a laissé ça, pour vous, ce matin. »

Dans l'enveloppe, plié en quatre, il y a une

sorte de billet griffonné au bic. Lisez, monsieur
Astin, brûlez-vous l'œil :

*Je ne suis pas très bavard, Papa, et sur la corde
sensible le coup d'archet n'est pas mon fort. Je
préfère t'écrire un petit mot pour te dire que,
franchement, ce que nous avons fait, Odile et
moi, je ne peux pas le regretter. Ne penses-tu pas
comme moi? Si je le regrettais, même pour la
forme, ce serait mauvais signe.*

*Je voulais te dire ensuite que, si je parais
moche, c'est sans le vouloir et que vraiment toi,
hier soir, tu t'es montré trop chic pour qu'on
puisse l'oublier.*

« Il m'a laissé la même », dit Laure.

Une suffisait. Et même aucune. Nous détrui-
rons ceci, qui ne doit pas se garder, qui pourrait
nous gêner, qui nous gêne. D'un petit mot, pour
d'immenses efforts, le fils nous rétribue. Nous
rétribue et nous relance. Comme il est facile
d'être fils, comme il est somptueusement malaisé
d'être père! Voilà une petite heure que je
tourne, que je tourne, que je dispute et discute
avec moi-même sur les décisions à prendre, sur
une nouvelle procédure de vie. Les vraies conditions d'un bonheur ne sont jamais celles sur

quoi, sottement raisonnables, nous nous appe-
santissons. Le vieil oracle aussi m'a laissé un mes-
sage : *suivez Bruno à la distance qu'il faut...* Ni
de trop près, ni de trop loin, ni avec moi, ni sans
moi, la bonne distance est de trente mètres. Et
la bonne façon est de ne pas faire tant de ma-
nières. Est-ce qu'elle pense à elle, est-ce qu'elle se
préoccupe de ce qu'elle va devenir, celle-ci, qui
est devant vous? Et à qui est-ce de s'en préoccu-
per, sinon à vous, qui depuis bientôt quinze ans
essoufflez son courage? Elle n'a jamais rien eu.
Vous qui aimez régler vos dettes, jusqu'au dernier centime, réglez celle-là ou vous êtes un
salaud.

Laure retourne à la cuisine, son temple. Pour
vous honorer, pensez : « Je me suis engagé à
donner le pair, en somme, avec les Lebleye. »
Pour vous exalter, pensez : « C'est moi qui
paie », et soyez-en faraud. Pour vous ravigoter,
pensez : « Le mair n'est pas si loin. Mamette
voyait tout de son observatoire. »

Puis montez dans votre chambre. Regardez le
portrait de votre mère, si haute dame en votre
souvenir, si fortement et même abusivement
protectrice de votre jeunesse, mais qui, sur la fin,
sut si bien s'effacer et mourir. Pensez : « C'est à
mon tour. » Et pour que ce soit mieux, pour que

ce soit parfait, pour qu'au moins une seconde
vous ayez eu cette illusion, pensez : « Qui parle
de sacrifice? Ceux-là qui peuvent se sacrifier,
pardi, c'est qu'ils ont mis ailleurs leurs complai-
sances; c'est qu'au fond du cœur ils y trouvent
leur compte. »

XXVIII

J'ENTENDS les « Ouin » de Bruno, qu'on vient
encore d'appeler. C'est fou ce que son frère, sa
sœur, ses amis, la plupart incapables de supporter les critiques, peuvent l'accabler des leurs!
L'acharnement des gens contre les apparences
malheureuses me rappellent la haine que vouent
les paysans aux inoffensives petites couleuvres
qu'ils réputent aspics pour les mieux talonner.

« Eh bien, non, figure-toi, crie Bruno, je suis
ravi. »

Je sais de quoi Bruno est ravi : d'être père. Je
sais aussi pourquoi : le crédit qu'il s'accorde est
mince. Peut-on être sûr d'une femme tant qu'on
n'a pas intéressé sa sécurité? Et le meilleur
moyen que de lui faire un enfant? La femme,
rémora de l'homme, s'en détache moins souvent
quand, parasite à son tour parasité, elle en reçoit
l'enfant, rémora de la femme.

« Du cynisme, où vois-tu du cynisme là-
dedans? »

Aucun doute : c'est Michel qui est au bout du
fil. Ma mère disait : « La ressource suprême des
hypocrites est d'appeler cynisme la franchise,
comme celle des imbéciles est d'appeler paradoxe
la vérité. » Bruno raccroche, sèchement. Le voilà
dans le vivoir. Il jette :

« Michel veut que j'aie fait un gosse à Odile
pour te forcer la main. Et il me plaint! Est-ce
qu'il te plaint de l'avoir fait, lui? »

Bruno se calme, parce qu'il n'est point en
situation de brailler trop fort et bougonne :

« Il téléphonait du café de la gare. Il vient
d'arriver avec Louise. Je vais les chercher. »

Je vois. On s'intéresse à mes dispositions.
Bruno lui-même s'en mêle à peine; il a la pudeur
de me faire confiance. Je lui ai dit que je logerai
le ménage, je n'ai rien ajouté à mon sujet. Mais
Michel a raison de venir : il n'est pas impossible
que j'aie autre chose à lui annoncer.

Deux jours de réflexion m'ont suffi. Puisque
ce dimanche matin Laure est chez elle, traversons : je suis le demandeur et il est bon que je le
marque ainsi, évitant de lui parler chez moi où
elle se trouve un peu en condition servile.

Je ne sonnerai point. Un tas de cartons, de boîtes à chaussures, d'oripeaux, de reliques inidentifiables attend le passage des boueux, près de la porte. Laure s'est enfin décidée à faire le vide, à distribuer au fripier et au brocanteur le bazar dont Mamette, depuis un demi-siècle, encombrait ses armoires. Le capharnaüm, purgé de la plupart de ses meubles, est devenu une autre pièce.

« Attention au chat! » crie Laure.

Cachou, qui m'a sournoisement suivi, se jette sur l'ennemi, qui bondit sur la commode Louis XV et crache. Laure se précipite. Elle est en pantalon et en chemisette : tenue qu'elle a fini par trouver commode, mais qu'elle ne s'autorise pas au pair. Ainsi libérée, elle est, je cherche le mot... Elle est, ma foi, appétissante. Gisèle aurait mon âge. Marie aussi. Laure a dix ans de moins. Ça compte. Allons, ce ne sera pas si désagréable.

« Je le laisserai aux enfants », dit M. Astin, qui a empoigné le chien et refermé sur lui la porte du vestibule.

Bon début. Laure observe, intriguée, le visiteur qui l'observe, inquiet. Dix ans de moins que moi, bon. Mais tout de même, mais *enfin* trente-cinq ans : ils lui font grâce du handicap

qu'était pour moi sa jeunesse; ils lui ont donné
un peu de poitrine, d'assurance et ces ridules
qui, sans trop les défraîchir, délissent les dangereux visages de porcelaine, pour leur donner le
sourire gratuit, rassurant, de ceux auprès de qui
les hommes mûrs se souviennent d'avoir été
enfants. Un argument de plus : qui a décidé
quelque chose, une bonne fois, s'en trouve mille
qui feront boule de neige autour du premier.
Mais celui-ci, pour moi, est d'une étrange force.
Je peux me jeter à l'eau :

« Ma petite Laure, je viens vous poser une
question saugrenue. »

Laure écarquille ses yeux pâles. Brodons. Brodons l'écran, qui masquera mon trop petit feu :

« Votre mère est morte, auprès de qui vous
vous êtes dévouée jusqu'au bout et voilà les
enfants qui nous lâchent. Nous allons rester
seuls, tous les deux.

— Vous, pas tellement, murmure Laure.

— Vous savez bien qu'un beau-père cohabite
mal avec un jeune ménage. On ne prend pas le
risque d'agacer la tendresse des siens. »

Un doigt de Laure pointe vers le plafond, d'où
ne pendent plus les ficelles de Mamette :

« Vous voudriez vous installer là-haut, dit-
elle.

— Pourquoi là-haut? Nous serons aussi bien en bas. »

Un léger tressaillement, c'est tout.

« Vous voulez m'épouser, dit Laure, vous voulez m'épouser, maintenant? »

Sa patience se serait-elle figée? Qui s'interdit son rêve, trop longtemps, à l'heure où il devient possible n'en retrouve parfois que la désillusion. Mais une affreuse humilité l'emporte :

« Vous voulez sauver la pauvre Laure... »

La vie est horrible qui la met, en effet, à ma merci. Feignons au moins de nous mettre à la sienne :

« Je peux demander une chambre au lycée. Rien ne vous force à me recueillir, Laure, si vous n'en avez pas envie. »

Mais Laure éclate de rire :

« Soyons simples, Daniel, voulez-vous. »

Ses mains cherchent quelque chose à remuer, à tenir. Elles happent une peau de chamois qui traînait, la malaxent.

« Bruno vous a empêché de vous remarier, voilà cinq ans. Vous aimiez Marie. Vous ne m'aimez pas... Enfin, vous n'avez que de l'affection pour moi. Mais il n'est pas indispensable que vous ayez mieux à m'offrir. »

Elle essuie maintenant une potiche qui n'a pas un grain de poussière. Elle ajoute :

« J'y gagne assez, Daniel. »

Puis, lâchant l'essuie-meubles qui tombe entre ses pieds :

« Je vous en prie, ne me méjugez pas. Je ne devrais sans doute pas accepter si vite. Mais à quoi bon jouer la comédie de la réflexion? Je ne sais pas forcer ma chance. Je ne sais pas la bouder.

— Laure…, souffle M. Astin.

— Ne dites rien de plus, fait Laure. Redites seulement mon nom ainsi de temps en temps : ça suffira. »

Voilà. C'est fait. Après Lia, Jacob épousa sa sœur Rachel, non sans avoir dû, quatorze ans durant, servir Laban pour l'obtenir. Nous avons interverti les rôles.

« A propos, dit M. Astin, Michel et Louise arrivent.

— Mon rôti va être trop court, s'écrie Laure. Il faut que je retourne à la boucherie. »

Elle galope, tandis que je repasse la rue. Bruno manœuvre pour rentrer la voiture (il a pris l'Aronde et non sa 4 CV). Déjà descendus,

Michel et Louise se font face : mon sous-lieutenant, d'une main gantée, retire une de ces petites
feuilles rousses dont la brume d'automne est peuplée et qui est venue se perdre dans les cheveux
de sa jumelle. Il m'aperçoit, me donne l'acco-
lade et dit à mi-voix :

« Alors, ils vont s'installer ici? Tu fais un bail
à Bruno?

— Où voudrais-tu qu'il aille? dit Louise.

— Ça enlève toute valeur à la maison, reprend
Michel. Papa se dépouille. Quand je pense que,
mon service tiré, je n'aurai pas de quoi payer
ma pantoufle! »

Sa pantoufle, en argot de l'X, c'est la somme
que tout polytechnicien doit reverser à l'Etat si,
pour passer dans l'industrie, il veut se libérer de
l'engagement décennal contracté en entrant;
elle est montée à deux millions pour sa promo.
Ne rispostons pas : ma générosité aussi est
égoïste. Répondons calmement :

« Les entreprises privées en font souvent
l'avance. Au besoin j'emprunterai.

— Et que deviens-tu, que devient Laure là-
dedans? » demande encore Michel.

Bruno referme le garage. Il s'approche. Il tend
l'oreille, car je viens de répondre :

« Laure et moi, ma foi... »

De nouveau les arguments creux :

« Vous êtes élevés, votre grand-mère est partie, nous n'avons plus de charges : nous pouvons finir notre vie ensemble. »

Ils semblent étonnés, mais soulagés. Contents pour Laure, contents pour moi. Ils ne demanderont même pas s'il s'agit d'un mariage : avec Laure, cela va de soi.

« Evidemment! dit Louise, ni l'un ni l'autre vous ne pouviez rester seuls. »

Une fin de vie, des soins réciproques, le troc d'un bon ménage contre une paie fidèle, peut-être aussi quelques prudentes satisfactions nocturnes, à quarante-cinq ans, n'est-ce pas, que peut-on souhaiter d'autre? Il est vrai d'ailleurs que ces raisons banales ont bien leur importance. Bruno, seul, paraît moins convaincu :

« Nous n'aurions pas su nous occuper de toi, hein? » dit-il d'une voix sourde.

Là encore il faut donner l'avers pour le revers, dire en souriant :

« Si j'ai besoin de toi, je n'aurai qu'à ouvrir la fenêtre pour t'appeler. »

XXIX

Le mariage eut lieu dix jours plus tard. Les Lebleye avaient proposé soit le grand tralala, comme si de rien n'était, soit au contraire une petite noce champêtre — lointaine, donc discrète — à *L'Emeronce*. Ils n'auraient pas été fâchés, encore une fois pour la galerie, de me voir épouser Laure, le même jour. Mais j'avais soutenu que, selon la formule consacrée — qui fit aussitôt le bonheur de leurs faire-part — nous étions précisément tenus de marier nos enfants *en raison d'un deuil récent dans la plus stricte intimité*, que *L'Emeronce* ne s'y prêtait pas et qu'un double mariage, outre un désagréable air coco, rendrait l'événement voyant, en le retardant d'une quinzaine, ce qui dans l'état d'Odile n'était pas souhaitable. Nous avions choisi donc un samedi, jour commode, où les mariages se font en série et où la lecture des articles du code par un quelconque adjoint rivalise de vitesse avec la bénédiction d'un quelconque vicaire.

La cérémonie — si ce mot convient à des formalités — ne m'émut guère. Je trouvai ridicule
l'espèce de voilette, grande comme un mouchoir,
dont Mme Lebleye, au dernier moment, voulut
gréer sa fille, déjà pourvue d'un tailleur crème,
presque blanc, et méritoire le geste de Bruno
qui, fort tranquillement, la roula en boule pour
la mettre dans sa poche. Emancipant mon mineur, je signai à la mairie, je signai à Sainte-
Bathilde, singulière grange-église où je péné-
trais pour la seconde fois. De la part d'une inévitable poignée d'amis et de voisins je supportai les
rabâchages, les félicitations, les vœux d'usage,
dont sont accablés les parents des couples et ces
couples eux-mêmes dont 25, pour 100 divorce-
ront, 25 pour 100 se tromperont, 25 pour 100
se supporteront, tandis que, du dernier quart,
pour trouver les élus de la terre, il faut encore
retrancher les veuvages, les stérilités, les
angoisses des prolifiques, les déchirements de la
paternité spoliée par la vie ou la mort. Ma mère
disait : « Les seules vraies noces sont les noces
d'or. On vous en donne un petit rond, au départ,
pour vous donner le goût de l'incorruptible.
Mais ce métal est si rare... »

Cène pour le départ du fils — bientôt complé-
tée par l'imminente retraite du père —, le déjeu-

ner, dans une guinguette au bord de la Marne, me
fut plus pénible. Quinze couverts tout de même :
les mariés, M. et Mme Lebleye, leurs deux autres
filles, l'autre M. Lebleye, parrain de la mariée,
sa femme, sa fille Marie, Rodolphe, parrain du
marié, sa femme, Laure, Michel, Louise, M. Astin. Ce dernier grignotait : une aiguillette de
canard, trois feuilles de salade aux noix, je ne
sais plus, je ne conserve pas les menus, calligra-
phiés en échelle de Gargantua. Je bus encore
moins : les vins me donnent la migraine. J'avais
déjà la tête lourde. M. Lebleye, d'une lèvre
grasse, conseillait à sa fille de boire très peu de
vin :

« A cause de... tu me comprends? » (L'anneau
passé, le cher petit fœtus, il n'était plus une
faute!)

Marie renchérissait. L'impudence pour se donner un air aime juger l'imprudence. Elle chantait :

« En tout cas, ça suffira comme ça. »

Et je me disais : « Odile devient une Astin.
Les Astin ont une autre classe. » J'en étais mé-
diocrement sûr.

« Je lui fais une césarienne? » dit Rodolphe,
quand il fallut découper le soufflé.

On rit. On s'arrêta de rire, parce que M. Astin,

cette brute, ne riait pas de sa bru. Seulet, il faisait le point à travers la fumée des premiers
cigares; il s'embarquait dans les revisions. Il
regardait, assise près de Marie — qui n'avait
point épousé Roland — sa fille Louise — qui
n'avait point épousé M. Varange. Il regardait
Louise, habillée en Loïse, avec la coûteuse simplicité de celles qui sont arrivées à se créer la
« personnalité esthétique » dont parlent les heb-
domadaires féminins. Il se demandait : « Où en
est-elle? Elle m'a parlé bien curieusement,
l'autre jour, en termes feutrés, d'un homme
connu, dont les petits pots pur fruit pur sucre
sont sur les rayons de toutes les épiceries. Ai-je
eu tort de croire que, l'illusion lassée, l'orange
pressée, elle rêve de sauver le reste, de sauver le
zeste, en l'offrant au confiturier? Il a quarante-
deux ans, presque mon âge. Il est divorcé. N'est-
il pas encore préférable qu'elle reste ce qu'elle
est : une fille libre, dans une carrière que cette
liberté facilite, plutôt que de s'enfouir dans un
mercenariat conjugal? A chacun sa voie, ma dou-
cette. Je me souviens de ta mère. Je ne te caserai
pas forcément le plus vite possible. J'ai d'autres
préjugés que Mamette. »

Je regardais Michel. « De qui tient-il donc,
celui-là, dont je cherche en vain l'équivalent dans

la famille? De cette famille il n'aime que les femmes : Laure, Louise. Ce sont elles qui le retiennent encore, sinon nous ne le verrions plus. Il n'est donc pas incapable d'amour; il en aura probablement pour sa fiancée, plus tard, mais il faudra qu'il soit dans le prolongement de son amour-propre. Son ambition ne me gêne pas. Je suis moi-même ambitieux pour lui. S'il avait voulu épouser Odile, je crois que je l'en aurais empêché : elle n'était pas à sa taille. A chacun des nôtres l'affection doit une aide, du genre poussette, vers leurs vrais buts. Toi, Michel, on ne peut t'aimer que dans ton mouvement, dans la ligne de ton orgueil, si nous voulons qu'au moins tu aimes en nous ce consentement à toi-même. Et c'est pourquoi, comme je le suis de toi, tu es le moins aimé. »

Je regardais Bruno et ça n'allait plus du tout. J'étais là sur ma chaise, comme la vieille du Barry sur l'échafaud. Encore une petite minute, monsieur le bourreau. Une demi-heure, si vous voulez; une heure, si vous pouvez. De sursis en sursis nous irions tout au plus jusqu'au soir, où ils entreraient, elle et lui, dans ma chambre, abandonnée au jeune ménage, à qui les trois jours de congé réglementaires accordés par l'ad-ministration ne permettaient aucun voyage. Je

regardais Bruno. Il ne me regardait pas. Très
occupé par son nouvel état, il retirait des mains
d'Odile sa tasse de café en murmurant : « Non,
chérie, pas de café »; il la touillait avant de la
boire et son alliance luisait en même temps que
la petite cuiller. J'essayai de tabler sur mon goût
pour les encouragements intérieurs : « Eh bien,
quoi, ton fils se marie, tu l'as fait, il le fait, rien
de plus simple. Un peu plus tôt, un peu plus
tard... On ne consent pas à demi, on ne regrette
pas ce qu'on accorde. Quand on bague un oiseau,
c'est pour le relâcher. » Bien sûr. Mais Odile
me regardait, elle, avec une légère insistance et
j'interprétais ce regard : « Pas touche! Celui-ci
désormais est à moi. » A elle sans doute : ce
n'était pas le pire et de sa jalousie la mienne se
rassurait. Qu'elle fût près de Bruno efficace, plus
efficace que moi peut-être, qu'elle le poussât où
je n'avais pu le pousser, j'y consentais encore.
Mais où entre la fille entre la mère et dans
l'ombre de la mère suit l'autre père; et les avis
de l'autre père à la mère, de la mère à la fille,
de la fille au gendre, arroseraient mon jardin de
salive Lebleye.

« A votre santé! » criait précisément l'agence,
choquant sa coupe contre la mienne, restée sur
la table.

On était au champagne et la sympathie de
M. Lebleye se montra si vive — saluons le pré-
sage — que le verre se brisa.

Et puis Bruno, le soir, gaffa. Nous avions dîné
en famille; Michel était déjà dans sa chambre,
Louise dans la sienne, Laure au mair : je dres-
sais dans le vivoir mon lit de camp provisoire,
quand Bruno, attardé avec Odile dans leur première vaisselle (sa phobie : Laure, elle-même,
n'aurait pu, auparavant, obtenir qu'il touchât
une assiette sale), ouvrit la porte. J'avais souhaité
qu'il montât discrètement. Il avait, par malheur,
une tête de circonstance.

« Papa, tu as été... », commença-t-il, sans trouver ou sans oser trouver le mot juste.

M. Astin fit face. « Une belle scène, songeait-il.
ah! non! Le tremolo, le frémissement à quoi nous
avons presque toujours coupé, ah! non! J'ai été
quoi? Admirable, n'est-ce pas? Admirable. J'ai
bien fait mon devoir. Mot horrible : au début,
oui, il y a très longtemps, tu ne t'en souviens
pas, je faisais mon devoir. Depuis lors, je ne le
fais plus, je fais toujours ce qui m'est commandé,
mais l'ordre vient d'ailleurs et la morale, la
conscience, la raison, la paternité même n'y ont

que par hasard été servies. Et c'est souffler des mots, souffler des bulles que de répondre : « J'ai été ton père, Bruno. »

Pourquoi me venait-il à l'idée, à cet instant, que je ne l'étais pas, qu'il aurait pu le savoir, qu'il aurait pu en concevoir soit une admiration plus grande — et pour moi plus affreuse —, soit le brusque détachement, la révolte des adoptés contre l'escroc à l'incarnation? Ceci au moins m'avait été épargné.

« Va », dit M. Astin, menant son fils jusqu'à l'escalier.

Embusquée dans le vestibule, Odile, d'un saut de biche que Bruno réprouva, franchit deux marches et, du talon à demi sorti de l'escarpin, vers le genou où plissait du nylon, deux jambes fusèrent haut sous la robe doublée de jupon blanc.

« Bonsoir! » dit Bruno.

Je rentrai dans le vivoir. Machinalement j'allai ouvrir la télé, sans tourner le bouton du son, je m'assis en face de l'écran, à cheval sur une chaise, les coudes sur le dossier. D'un vieux film aux images usées défilèrent les personnages qui remuaient les lèvres dans le vide. *Va!* Je commentais ce mince impératif. Va, tout à l'heure, tu lui feras, tu lui fais peut-être déjà l'amour

dans ce lit dont je suis né, dont tu aurais dû
naître et où ta grand-mère, ta mère et, par ma
grâce, Odile n'auront été, ne sont qu'une femme
continue : Mme Astin. L'idée me touche, qui
t'impose d'une nouvelle façon, et, chose curieuse
chez moi, je la trouve étrangement saine. Si un
fils ne peut penser sans répugnance à l'étreinte
du père et de la mère, c'est le privilège des pères
de pouvoir songer à celle du fils et de la bru, sans
gaillardise, et dans leurs nus mêlés — comme
jadis, quand ils étaient de courts petits-Jésus —
d'y voir seulement la vie naissante où ils se per-
pétuent. Va, mon fils, tu as joué ton rôle. Tu
m'as servi à sortir de moi-même, à découvrir un
monde qui m'était inconnu. Au prix du nôtre
— dont il était devenu la raison — le bonheur
d'un enfant ne le rembourse pas; et les lèvres
qui ont dit oui, il se peut que nous les mordions
des années en silence. Mais ce que perd le renon-
cement, le temps de toute façon un jour nous
l'eût fait perdre, ne serait-ce que dans l'engour-
dissement de l'âge. Saigner un peu, c'est vivre
encore de toi. Va, mon fils, tu ne me quittes pas.

XXX

Ce fut notre tour, Laure, voilà dix jours, dans
une discrétion si parfaite que la moitié de la rue
l'ignore encore, que le facteur s'embrouille, met
mon courrier dans la boîte d'en face et, s'il
t'aperçoit dans le jardin, te crie :

« Rien pour vous, mademoiselle. »

Il sait pourtant. Mais sa bouche a pris un certain pli. Moi-même, quand je tourne au coin de
la rue, ma serviette sous le bras, je prends le trottoir pair. Deux ou trois fois je me suis retrouvé
dans mon jardin, j'ai rebroussé chemin, alerté
par le gravillon qui crisse plus fort sous la
semelle que le sable de ta cour. Un soir, je suis
même allé tout droit m'asseoir à ma place, dans
le vivoir, j'ai cherché mon journal sur le plateau
de cuivre. Levant les yeux j'ai aperçu Odile,
rondelette, la moue en bec, qui me regardait
avec son air de mésange apeurée par l'approche
du chat. Elle a pépié :

« Bruno fait midi-huit, mon père. »

Derrière Odile, il y avait Mme Lebleye, de
passage, mais de passage chez sa fille, c'est-à-dire
suffisamment chez elle pour faire l'aimable
auprès du visiteur :

« Un petit apéritif, monsieur Astin? »

Bruno n'étant point là, j'ai filé. Eût-il été là,
du reste, que je ne me fusse pas attardé. Après
son travail, il a ses cours à revoir, un clou à plan-
ter, une prise de courant à rafistoler; et sa
femme, qui n'a pas de siège quand elle n'est pas
assise sur son genou. Ce n'était pas le jour. Nous
avons droit au relais de Mamette : le déjeuner
du dimanche au mair. Nous avons droit à cette
innovation, preuve flagrante de piété filiale : le
dîner du même dimanche au pair. Nous avons
droit aux rapides incursions. « Ma mère, auriez-
vous du persil? Pourriez-vous me prêter votre
cocotte-minute? » Nous avons droit à la réciproque. Nous avons droit enfin aux « Ça va? »
de Bruno, qui longe la grille et, parfois, vient
tailler une courte bavette en louchant sur son
bracelet-montre. J'ai voulu cette mitose qui
divise la famille en deux cellules contiguës. Je
m'y fais mal.

Exilé à trente mètres, je m'embosse à la
fenêtre. Si j'en suis éloigné, certains bruits m'en

rapprochent vivement que je distingue entre
tous. Toutes les lames de la scierie peuvent faire
vibrer la brume où précipite la défeuillaison, la
sirène de la biscuiterie, les sifflets de la gare de
triage, le brame des chalands sur le canal, des
autos sur la dérivation de la nationale 34 peuvent s'en mêler : je connais le tintement du portillon. Il tinte et déjà ma main soulève un coin
de rideau. Et c'est toi, Laure, moins exilée, mais
comme privée de passeport, qui murmure, en
soulevant l'autre coin :

« Tiens, ce sont les peintres. »

Je demanderai pourquoi les peintres sont
venus, le soir même, à Bruno.

« On refait la chambre », répondra-t-il.

Et je serai tout étonné qu'il ne m'en ait pas
demandé la permission, qu'il ne m'en ait pas au
moins averti. Nos droits, il ne suffit pas de les
avoir abdiqués pour ne plus nous sentir du
royaume.

D'ordinaire les allées et venues sont plus
banales. Odile et Cachou. Odile et son panier.
Bruno et sa 4 CV, qui entre, qui sort, frôlant le
pilier. Mme Lebleye. Le charbonnier. Odile et
Bruno. Dans ce dernier cas, il y a trois allures :
la dégagée pour balade, lui roulant un peu de
l'épaule, elle de la fesse en tenant le petit doigt

de l'époux; l'utilitaire, plus vive, pour courses en commun, le panier passant aux mains de Bruno avec coup d'œil d'Odile au chéri, puis coup d'œil au porte-billets, selon les lois d'une génération qui passe vite de l'extase au pratique; enfin la surveillée (Ta cravate est de travers... Ton jupon dépasse), marche perpendiculaire à la rue, pour traverse.

Tu le vois, Laure : je ne suis qu'à moitié avec toi. Bruno, avant-hier, me soufflait à l'oreille :

« Nous deux, vous deux, hein, c'est de la roulette! »

Ça marche. « Epouser Laure, disais-je moi-même jadis, c'est reconduire ma vie. » Je n'aimais pas cette vie. La voilà reconduite. Il s'agit là, pour tout avouer, d'une existence; de ce qui est dans notre vie, non la chair vivante, mais le squelette charpenté, solide et sec. Ils se tromperaient ceux qui murmurent : « Elle l'a eu enfin, à la fatigue, à l'occasion. » Ils se tromperaient ceux qui croiraient que je me force. Ils se trompent moins ceux qui pensent : « M. Astin fait toujours ce qu'il doit. »

Tu me connais, autant que nous pouvons connaître nos proches, séparés de nous par le

double que nous leur inventons, par ce transpa-
rent de couleur, sur eux calqué et qui les trans-
figure tel un saint de vitrail dans un soleil couchant. Tu me connais, invoquant l'autre : le
bienheureux Daniel Astin, que je ne fus jamais
et qui crut, dans tes bras, entrer au purgatoire.

Le véritable, ici, j'ai voulu le montrer. As-tu
remarqué que jusqu'alors je n'ai parlé de toi —
et peu — qu'à la troisième personne, gardant
malgré moi cette distance que je voulais franchir? On ne dit jamais tout, on dit seulement
son possible. Les nus sont pour la nuit, qui les
annule et ils ne concernent que la peau.

Arrachons encore, pourtant, ce qui peut l'être.
Trop de ménagements ne sauvent pas un ménage. Afin de pouvoir nous regarder en face,
voyons, Laure, voyons quels sont nos handicaps.

Le plus lourd, pour toi, est d'être mon hos-
pice. D'être mon contrat avec le quotidien.
D'être un étai, placé sous une pièce maîtresse.
Ces titres, qui te donnent le beau rôle, ils font
de moi une sorte d'infirme et les infirmes aiment
si peu leurs infirmités qu'ils en étendent parfois
la rancune jusqu'à ceux qui les soignent.

Ton pire défaut, d'ailleurs, est de n'en pas
avoir, de ne posséder que celui-là, harassant,
confondant, vous donnant sans cesse l'impression

d'être le bourreau en train de faire rôtir une innocente. Je ne crois pas fort aux vices, aux responsabilités des hommes. Je crois aux caractères, aux chromosomes, aux circonstances, aux injustices sociales, qui les font ce qu'ils sont, purs ou impurs, avides ou généreux, forts ou faibles. Je crois à ce qui les aimante et, le plus souvent, les déboussole. Et c'est pourquoi je pratique moins l'admiration que l'indulgence, pourquoi je ne hais guère que l'hypocrisie, pourquoi je me fonde plus volontiers sur l'amour donné que sur l'amour reçu.

Dois-je le dire encore? Il est tard dans ma vie. Il est tard en moi-même où je suis occupé. Un enfant de toi, je ne le souhaite pas. Ainsi tu ne seras jamais, par le dedans du ventre, qu'une demi-femme. Dans le plaisir des époux, la joie des géniteurs est incluse, qui sauve l'orgasme, sans elle ravalé au rang de l'excrétion. Je ne suis point partisan de submerger la terre. Mais neuf fois sur dix ces gens qui invoquent la stérilité pour ne pas encombrer le monde, c'est d'eux-mêmes qu'ils l'encombrent et quand ils ne veulent pas « faire un malheureux de plus », c'est encore à eux-mêmes qu'ils pensent chaque fois. Trois enfants te rachètent ici, dont tu fus bien la mère, dont tu as bien le sang, si tous n'ont pas

le mien. Ils ne te rachètent cependant qu'à moitié et sur ce point j'oscille, regardant par la
fenêtre passer ce fils, si peu coupable, puisqu'il
n'a pas triché.

Nous trichons tous, hélas! et sur bien d'autres
choses. Voire, sur les plus précieuses. Tirons le
volet de mon côté. Pour conquérir Bruno, n'ai-je
pas employé, parfois, de sordides moyens? N'ai-je
pas, à un seul, sacrifié tous les autres et toi-
même et moi-même, dans cette belle logique qui
nous fait au besoin ravager une vie, ravager une
famille — et, chez les grands, ravager l'univers
— pour des justices qui ne touchent que nous?

Je suis un homme banal, Laure, et ce n'est
pas grave. Mais je suis aussi un homme étroit.
Qui pis est : un faux doux, un faux humble.
« Vous avez de la moelle », assurait Mamette.
L'excès de moelle du sureau en rend le bois cassant. Je ne m'y trompe pas. Je pense confusément : qui aime bien tout le monde n'aime *vraiment* personne et l'affection multiple m'apparaît
aussi dérisoire que chez ces spécialistes de la phi-
lanthropie, pulvérisant la leur sur des milliers
de gens.

Je suis un solitaire, Laure. Qui pis est : un
solitaire sans solitude. Pour m'épargner celle-ci,
on a pensé pour moi aux félicités grognonnes

d'un foyer tardif; et il est bien vrai qu'elle m'est épargnée, comme il est vrai qu'elle me manque. En ce temps où par la T. S. F., la télé, les journaux, les hommes se poursuivent jusque dans l'intimité, où la solitude est pourtant un thème à la mode parmi ces grégaires, où jamais elle n'a mieux servi de complainte à l'égoïsme, s'il est un problème pour moi c'est bien l'inverse. Celui-là, qui s'aime — et je vois qu'on s'aime beaucoup — nul ne le trouble, mais le monde, surpeuplé, lui devient bientôt si vide qu'il est comme saisi d'agoraphobie. Celui-là, qui pense avoir des raisons de ne pas s'aimer, un mot l'assaille et dans sa retraite il est tout étouffé par la foule de ses scrupules, de ses contradictions. Maman disait : « Il y a des orphelins de carrière : c'est alors un tempérament, toujours en quête et toujours replié. » On peut l'être d'une femme. On peut l'être d'un fils. On peut l'être de soi. Ce sont deux ombres, en nous, qui se sont épousées.

Ai-je poussé au noir? C'est encore un de mes tics. Mais recensons nos chances. Je songe aux embâcles de la Loire, qu'un long gel fait baisser, laissant accrochés à ses bords, parfois à plus d'un mètre, de longs surplombs de glace suspendus dans le vide. Comme, le fusil en main pour une chasse au canard, je lorgnais une fois ce curieux décalage, le père Cornavelle m'avait prophétisé :

« Un coup de sud et vous pouvez être sûr qu'elle remonte. La Loire revient toujours fondre ses glaçons. »

Ainsi, de mes froideurs. Déjà, d'avoir pensé : *ce ne sera pas trop désagréable,* je me sens couvert de honte. Le ricanement s'étrangle. Une. femme, qui est la vôtre, a ses pouvoirs de femme. Il n'y a point de graves qui ne s'échauffent sur l'oreiller : c'est une impure douceur, mais c'en est une, qui peut conduire à d'autres. Le plaisir émeut toujours qui le prend au bénéfice de qui le donne (cela est si vrai, du moins, chez moi, que les rares fois où je me sois laissé raccrocher par quelque fille, je m'attendrissais ensuite sur elle d'une façon qui agaçait vite cette gagneuse).

Enfin la tendresse d'autrui, à la longue, ça touche. Si je ne craignais l'image, qui t'offensant m'offense, je répéterais ce que ta mère disait — à propos de Bruno — des épinards. Je préfère rappeler ce que j'ai dit moi-même des faux choix, des rencontres acceptées. Je n'ai pas choisi ma mère, je n'ai pas choisi Gisèle. Je n'ai pas choisi Bruno! Toi non plus, je ne t'ai pas choisie. Que ces précédents te rassurent.

Ceci aussi : nous avons des enfants communs et, pour le même, le même faible. Sans ingérence et sans critique, quand on voudra de nous, il nous reste un vieux rôle. Eleveuse sans poussins, crois-tu manquer de passions? On t'en fabrique en face. La navette, un peu espacée, reprendra. Avec l'enfant, viendra le temps des gardiennages. Le tricot bleu-blanc-rose, la mobilisation des fioles et des avis contre la coqueluche, un petit cul à talquer et du pipi-popo l'intarissable source, voilà pour toi bientôt de grandes délices!

Moi, je serai dans ton sillage, circonspect, mais veillant — je ne sais trop comment, on trouve toujours — à ne rien laisser s'affadir. A ce que Bruno ne devienne pas, dans le seul domaine où il peut réussir, le petit fonctionnaire qu'il est ailleurs. A ce qu'il n'y ait jamais dans ce ménage-là... Taisons-nous. C'est trop dire que nommer l'aventure et je n'y pourrais rien que de serrer les dents. Tu es là, je suis là, c'est tout. Nous sommes de garde. Sais-tu qu'il y a parfois une autre belle époque : cette entente assez rare — car d'ordinaire ils sont dispersés — des pères de soixante ans, encore verts, avec leurs fils de trente-cinq, déjà mûrs et que les brus, chargées d'enfants, ne cernent plus d'un bras si court?

Nous n'en sommes pas là. Le rideau de la

fenêtre se soulèvera encore et j'aurai des sursauts, je ferai grincer ce petit humour qui masque mes défaites. N'y fais pas attention et surtout ne le répète pas. Je ne veux pas qu'on s'inquiète. Je veux qu'on soit tranquille. Un fils qui se dit que sa mère adoptive, que son père sont casés, qu'ils ont l'air satisfaits, il double son confort de le croire partagé.

Et voilà ton atout, Laure, le plus certain : pour qui se voit contraint ou d'être ou de paraître, pour qui veut par chaleur se jeter dans une autre, la méthode Coué, parfois, sait triompher des feintes. Les pères sont nés trop tôt, les fils sont nés trop tard pour marcher de concert sur le même parcours. Il t'est donné cela et si tu me permets d'aller, parlant de lui en te parlant de toi, un jour quand je m'arrêterai, ni toi, ni moi, peut-être, nous ne saurons plus, dans cette vieille rengaine, de la femme et du fils reconnaître les parts.

Chelles — Québec — Montréal
Ingrandes — Paris — Anetz-sur-Loire
Avril 1959 — septembre 1960

ŒUVRES DE HERVÉ BAZIN

Aux Éditions du Seuil :

AU NOM DU FILS, roman, 1960.
CHAPEAU BAS, nouvelles, 1963.
LE MATRIMOINE, roman, 1967.
LES BIENHEUREUX DE LA DÉSOLATION, roman, 1970.
JOUR, *suivi de* A LA POURSUITE D'IRIS, poèmes, 1971.
MADAME EX, roman, 1975.
UN FEU DÉVORE UN AUTRE FEU, 1978.
L'ÉGLISE VERTE, 1981.

Aux Éditions Bernard Grasset :

VIPÈRE AU POING, roman, 1948.
LA TÊTE CONTRE LES MURS, roman, 1949.
LA MORT DU PETIT CHEVAL, roman, 1950.
LE BUREAU DES MARIAGES, nouvelles, 1951.
LÈVE-TOI ET MARCHE, roman, 1952.
HUMEURS, poèmes, 1953.
L'HUILE SUR LE FEU, roman, 1954.
QUI J'OSE AIMER, roman, 1956.
LA FIN DES ASILES, enquête, 1959.
PLUMONS L'OISEAU, 1966.
CRI DE LA CHOUETTE, 1972.

IMPRIMÉ EN FRANCE PAR BRODARD ET TAUPIN
7, bd Romain-Rolland - Montrouge - Usine de La Flèche.
LIBRAIRIE GÉNÉRALE FRANÇAISE - 14, rue de l'Ancienne-Comédie - Paris.
ISBN : 2 - 253 - 00142 - 2